수학의 발견

생각이 터지는 수학 교과서

중3 | 상

사교육걱정없는세상
수학사교육포럼 외 16인 지음

창비교육

수학 학습 원리

이 책에서 여러분은 수학적 사고로 넘을 수 있는 다양한 과제를 만납니다. 새로운 과제를 만나면 이미 알고 있는 수학 지식과 수학적 사고력을 적절히 동원하여 그 해결 방법을 찾습니다. 모둠 친구들과 더불어 각각의 과제를 탐구해 가는 과정에서 개념의 연결 고리를 발견할 것입니다. 이때 다섯 가지 '수학 학습 원리'를 기억해 두면 도움이 됩니다.

수학 학습 원리

끈기 있는 태도와 자신감 기르기	• 과제에 포함된 주어진 자료, 사실, 조건에 대해 주의를 기울인다. • 문제를 적극적으로 해결했던 경험을 떠올리며, 또 다른 효율적인 방법이 없는지 계속 궁리한다. • 스스로 과제를 해결해 가는 과정에서 자신감을 기른다.
관찰하는 습관을 통해 규칙성 찾아 표현하기	• 과제에 포함된 몇 가지 사실을 조사하여 규칙을 발견한다. • 규칙을 발견한 뒤 이를 이용하여 결과를 예측해 본다. • 비슷한 문제 상황에 적용할 수 있는지 판단해 보고 일반적인 규칙으로 표현한다.
수학적 추론을 통해 자신의 생각 설명하기	• 자신이 추론한 여러 가지 가설과 사례가 왜 맞는지 설명해 본다. • 새로 탐구한 결과가 이미 알려진 사실에 어떻게 연결되는지 논리적으로 설명한다. • 다른 사람의 주장이 맞는지 판단해 보고 만약 맞지 않는다면 하나 이상의 반례를 찾는다.
수학적 의사소통 능력 기르기	• 표, 수식, 그림, 그래프 등을 이용하여 주어진 조건을 분석하고 설명한다. • 다른 사람에게 자신의 생각을 수학적 언어로 명확하게 설명한다. • 다른 사람의 수학적 사고를 분석하고 평가해 본다.
여러 가지 수학 개념 연결하기	• 수학적 아이디어 혹은 개념 사이의 연결성을 인식하고 활용한다. • 이미 알고 있는 개념에 새로운 개념을 연결하여 개념의 일관성을 키운다. • 일상생활이나 다른 교과의 사례에서 수학을 인식하고 활용해 본다.

탐구 과제에 따라 어떤 학습 원리를 적용하는 게 나은지 명백할 때도 있지만 그렇지 않은 경우도 있습니다. 각각의 과제를 해결한 뒤 다음과 같이 되돌아봅시다.

• 이 과제를 해결하면서 무엇을 배웠나요?
• 이 과제를 학습하는 데 유용한 수학 학습 원리는 무엇인가요?

중3 | 상

차 례

수학의 발견 중3 | 상

"이런 수학, 처음이야!" 

실험학교에서 수업 시간에 《수학의 발견》 실험본으로 공부한 중학교 학생들과 학부모, 교사들의 실제 소감입니다.

"제가 수학 수업의 주인공이 되었어요!"

변선민 학생(경기 소명중학교)

《수학의 발견》을 보고 깜짝 놀란 것이 있어요. 공식을 암기하고 문제를 푸는 것에 익숙했는데, 이 책은 수학 공식을 저희가 직접 찾아가도록 하는 것이었어요. 이전에는 그런 과정을 겪은 적이 없었거든요. 그런데 이 책을 통해 우리만의 답을 찾을 수도 있고, 혹은 우리 학교만 알고 있는 그런 공식도 만들어 낼 수도 있을 것 같았어요. 문득 "아, 내가 수학 수업의 주인공이 될 수 있구나!" 하는 생각이 들어 수업에 더욱 흥미가 생겼어요.

"수학이 뻔하지 않아서 좋았어요."

안준선 학생(강원 북원여자중학교)

초등학생 때부터 수학이 너무 싫었어요. 그런데 《수학의 발견》으로 수업하면서 수업이 재미있어지더라고요. 이 책은 뻔하지 않아서 좋았어요. 옛날에는 어려운 문제가 나오면 그냥 안 풀고 포기했거든요. 그런데 지금은 어려운 문제가 나와도 풀고 싶은 마음이 생기고 친구들이랑 공유하면서 푸니까 더 좋아요. 다른 교과서나 문제집은 풀이를 알려 주면서 "너희는 이거 꼭 외워!"라는 식이었거든요. 그러다 보니 기계처럼 푸는 느낌이었어요. 흥미도 안 생기고. 그런데 이 책은 생각할 수 있는 시간을 주니까 기억에 남고 재미있게 풀 수 있었어요.

"이렇게 공부하면 어려운 문제를 더 잘 풀겠더라고요!"

원예연 학생(강원 북원여자중학교)

누가 그러더라고요. "이렇게 하면 입시에 나오는 어려운 문제를 풀 수 있겠냐?"라고 말이죠. 저는 풀 수 있겠다는 생각이 들었어요. 공식을 외워서 문제에 대입해 푸는 것보다는 나을 것 같고, 우리는 이런 공식이 어떻게 나왔는지 아니깐 어려운 문제가 나와도 더 좋은 답을 얻어 낼 수 있을 것 같았어요. 그리고 또 이해를 했으니깐 문제가 어렵다고 포기하지도 않을 거고요. 《수학의 발견》으로 수업할 때 개념과 개념이 서로 연결되어 있음을 발견할 수 있었던 게 도움이 되는 것 같아요.

“같은 수학인데 아이 모습이 뭔가 달랐어요.”

이진욱 학생 어머니(서울 대방중학교)

제 아이는 평소에 모르는 문제가 나오면 한두 번 고민하다 그냥 넘어갔어요. 시험 직전에서야 답이랑 풀이 과정을 눈으로 훑어보며 암기하기 바빴죠. 그런데 《수학의 발견》으로 공부할 때는 문제를 대하는 태도가 평소와 다르다는 걸 느꼈어요. 처음에는 문제를 한참 바라보고만 있어서 엄마 입장에선 딴생각을 하는 걸까, 몰라서 그러는 걸까 물어보고 싶었지만 꾹 참고 그냥 지켜 보았어요. 조금 있으니 자기 생각을 적기도 하고 고개도 갸우뚱거리면서 스스로 푸는 과정을 고민하는 모습이 너무 예쁘더라고요. 같은 수학인데 뭔가 다르다고 하는 우리 아들이 참 기특해 보였어요.

“다시는 강의식 수업으로 돌아갈 수 없겠어요.”

정혜영 교사(서울 문성중학교)

저는 강의식 수업을 굉장히 좋아했어요. 아이들도 콤팩트한 수업을 잘 이해하는 줄 알았지요. 나중에 알고 보니 아이들이 이해하지 못한 채 집중하는 척했던 것이더라고요. 《수학의 발견》으로 수업한 뒤 달라졌어요. 말로만 듣던 학생 참여 중심 수업과 딱 맞아떨어졌죠. 모둠 토론에 익숙해지니 지금은 제가 설명해 주고 넘어가면 아이들이 싫어해요. 자기들이 공부할 수 있는 시간을 달라는 거죠. 자기들끼리 이야기하고 생각해서 문제를 해결하는 것을 아이들이 얼마나 소중하게 생각하고 좋아하는지 알게 되었어요. 지금 저는 “아, 이제 그 맛을 알았으니 돌아갈 수 없는 강을 건넜구나!” 그런 심정입니다. 다시는 강의식 수업으로 돌아갈 수 없겠어요.

“어차피 만들어야 할 수학 활동지가 여기 다 있네요!”

김은주 교사(강원 북원여자중학교)

《수학의 발견》 샘플 단원을 처음 만났을 때, 기존 교과서에서는 볼 수 없는 문제들, 아이들이 “어, 이거 뭐지?” 그렇게 궁금해할 형태의 문제였습니다. 저는 평소에도 그런 문제를 가지고 수업을 해 보고 싶었지만 혼자 하는 데는 한계가 많았습니다. 그래서 샘플 자료를 보면서 “와~ 이것 너무 좋다. 빨리 나왔으면 좋겠다.”라고 생각했고, 실험학교 참여 제안이 와서 기쁜 마음으로 응했습니다. 어차피 수업 활동지 자료를 애써 만들어야 하는데 이미 다 있으니 얼마나 좋았던지. 일 년 동안 정말 많이 배웠습니다.

《수학의 발견》, “이렇게 사용하세요!” 

책의 구성

《수학의 발견》에 있는 문제는 대부분 똑같은 정답이 아니라 나만의 답을 써야 합니다. 나만의 답을 쓰는 과정에서 수학의 개념과 원리를 발견하고 연결하는 방법을 알아 갈 것입니다. 이 책으로 공부할 때는 끈기를 가지고, 관찰하고, 추론하고, 분석해 보세요. 내가 찾은 개념과 원리를 서로 연결하고 그 속에서 수학을 발견하는 기쁨을 맛볼 수 있을 것입니다.

STEP 1 개념과 원리 탐구하기

개념과 원리 탐구하기는 문제를 탐구하면서 수학적 원리를 발견하고 터득하는 과정입니다. 처음에는 어려울 수 있지만 나의 생각을 끄집어내고 발전시키는 것부터 연습하세요. 내가 알고 있는 것, 내가 알아낸 것이 부족해 보여도 탐구하기 문제에 대한 나의 생각을 쓰고 친구들과 토론하는 과정에서 다듬어질 것입니다.

탐구하기 1

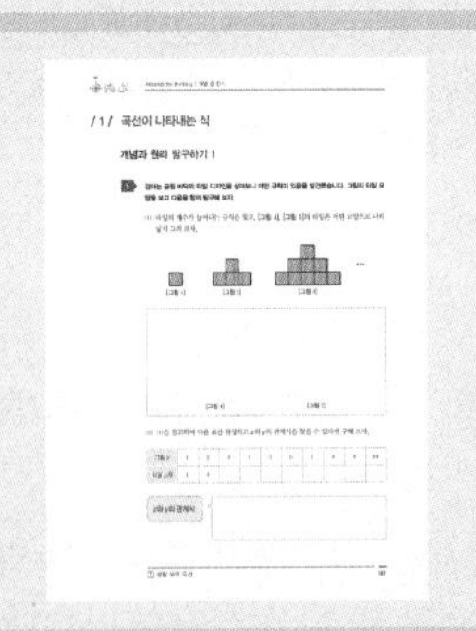

탐구하기 2

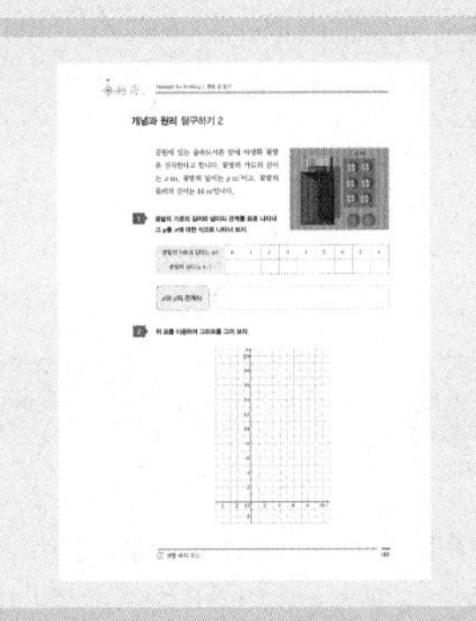

탐구하기 3

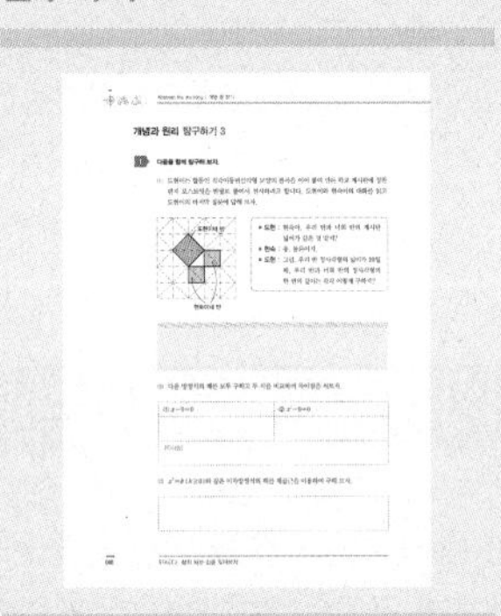

+ 탐구 되돌아보기

‘개념과 원리 탐구하기’에서 알게 된 내용을 한 번 더 확실하게 다지는 부분입니다. 친구들과 토론한 이야기, 선생님에게 들은 이야기를 내가 얼마만큼 소화했는지 혼자 정리해 볼 수 있습니다.

STEP 2 개념과 원리 연결하기

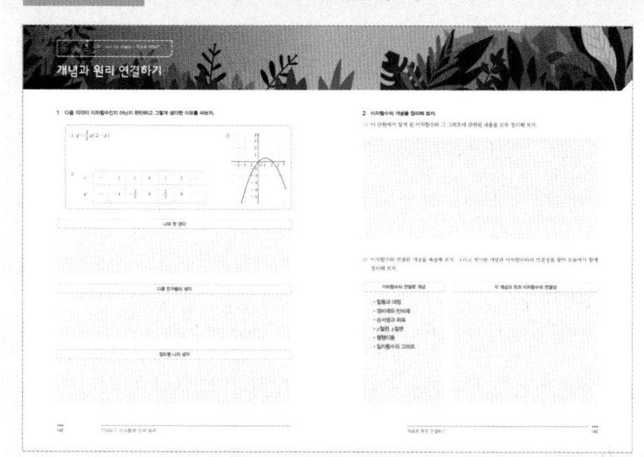

새로 배운 주요 개념을 정리하는 과정에서 내 머릿속의 수학 개념을 종합하고 확장해 가는 코너입니다. 이 과정에서는 새로 배운 개념과 예전에 배웠던 개념 중 관련 있는 것을 서로 연결하는 것이 중요합니다. 수학 개념은 신기하게도 서로 연결할 수 있답니다. 그 연결고리를 찾는 순간 배움의 짜릿함을 느낄 수 있고, 그 느낌은 다른 수학 개념이 알고 싶어지는 동기가 됩니다.

STEP 3 수학 학습원리 완성하기

수학 학습원리 완성하기에서는 '개념과 원리 탐구하기'와 '개념과 원리 연결하기'를 공부하면서 내가 어떤 수학 학습원리를 사용했는지 돌아봅니다. 수학을 잘하기 위해서는 많은 문제를 풀어야 할 것 같지만 그 속에 사용된 원리만 파악하면 모든 문제를 쉽게 해결할 수 있습니다. 내가 어떻게 문제를 해결했는지 돌아보고 다른 친구는 어떻게 해결했는지 비교하는 과정에서 학습원리를 내 것으로 만들어 보세요.

이 책을 사용하는 학생에게

1

기존 교과서로 학습하기 전에 《수학의 발견》 먼저!

《수학의 발견》으로 수학 개념을 먼저 탐구합니다. 그런 후 기존 교과서를 참고하세요. 《수학의 발견》은 공식, 풀이 방법, 답을 바로 알려 주지 않고 생각하고 탐구할 시간을 줍니다. 그 시간을 가져야 여러분들이 '생각하는 방법'을 배울 수 있습니다.

2

함께 토론할 수 있는 친구들이 있을 때

맞았는지 틀렸는지를 떠나서 내 생각을 찾고 표현하는 것이 중요합니다. 문제를 읽고 일단 짧게라도 나만의 생각이나 주장을 만들어 보세요. 그리고 왜 그렇게 생각했는지를 친구들과 토론하며 답을 완성하고, 수학 개념을 찾아갑니다. 혼자는 어렵지만 토론하면서 찾아갈 수 있습니다.

3

혼자 《수학의 발견》으로 공부할 때

혼자 공부할 때도 먼저 내 생각을 쓴 뒤에 《수학의 발견 해설서》에 있는 〈예상 답안〉을 확인해 보세요. 《수학의 발견》에 있는 탐구 활동은 대부분 답이 하나가 아니라 여러 가지일 수 있습니다. 그래서 가능한 많은 친구들의 답을 실었습니다. 여러분이 찾은 답과 일치할 수도 있고 약간 다를 수도 있습니다. 달라도 틀렸다고 생각하지 말고, 다른 답과 비교하며 수정 · 보완해 보세요.

▶ 이 책의 문제와 관련된 질문은 네이버에 있는 **《수학의 발견》** 카페 게시판에 올려 주세요.

이 책을 사용하는 선생님에게

1

2015 개정 교육과정에 맞춘 《수학의 발견》

《수학의 발견》은 2015 개정 교육과정이 요구하는 수학 교과 지식 체계 편성에 맞추어 구성하였습니다. 따라서 이 책으로만 수업해도 전혀 문제가 안 됩니다. 물론 학교에서 쓰는 수학 교과서와 함께 쓸 수도 있습니다. 선생님의 재량을 펼칠 수 있을 때는 이 책을 주로 활용하면서 기존 교과서를 보조 자료로 쓰고, 그렇지 않다면 꼭 필요한 부분만 뽑아 대안 교재로 활용할 수도 있습니다.

2

학생 참여 중심 수업을 위한 워크북과 꽉 찬 해설서

일반적인 교과서나 문제집을 생각하면 《수학의 발견》은 불편한 구조입니다. 학생 스스로 개념과 원리, 문제를 푸는 길을 발견하고 찾아내도록 유도하는 워크북 형태로 구성했기 때문입니다. 따라서 《수학의 발견》은 모둠별 수업 등 학생 참여 중심 수업을 적극적으로 도입해야 그 효과가 커집니다. 보다 상세한 설명이 필요하다면 해설서를 활용하면 됩니다.

3

우열을 가리지 않아도 되는 모둠 토론

모둠을 구성할 때, 수학 성적에 따라 학생들을 수준별로 편성하지 않고 뒤섞는 것이 좋습니다. 《수학의 발견》으로 수업할 경우, 수학 지식이 부족한 학생들도 자기 생각을 표현하고 창의적인 아이디어를 내며 얼마든지 모둠에 기여할 수 있습니다.

▶ 이 책으로 수업을 하는 선생님을 위해 네이버에 **《수학의 발견》** 카페를 준비했습니다.

새로운 수를 발견해 보자

1 내 길이는 얼마일까

/1/ 새로운 수의 발견

2 계산 규칙을 찾아라

/1/ 새로운 수의 계산

산 정상까지 몇 미터를 올라가야 할까?
?
'발견 캠핑단'이 산 정상까지 올라가려고 합니다. 산의 높이는 지면에 수직인 길이라서 걸어가야 하는 거리는 높이보다 길겠지요? 그 거리를 산의 높이를 이용하여 어림하여 볼 수 있을까요?
이 단원에서는 직각삼각형의 빗변의 길이로 나타나는 새로운 수를 발견해 봅니다.

1 내 길이는 얼마일까

물건의 개수를 하나, 둘 세는 것을 통해 자연수를 경험할 수 있습니다. 작은 수에서 큰 수를 빼야 하는 경우에는 음수가 있어야 그 값을 표현할 수 있습니다. 어떤 물건을 똑같이 나누어 그 일부분을 표현하고 싶을 때는 분수가 필요합니다. 분수를 소수로 표현하면 끝이 있는 경우와 끝이 없이 계속되는 경우가 있습니다. 그런데 지금까지 우리가 배운 여러 가지 수를 이용하면 이 세상에 존재하는 모든 수를 다 표현할 수 있을까요?

수를 가장 중요하게 여긴 고대 그리스의 피타고라스 학파는 정사각형의 대각선의 길이를 구하는 과정에서 그때까지 알고 있던 여러 가지 수들로는 대각선의 길이를 표현할 수 없다는 것을 발견했습니다. 그들은 모든 수를 두 정수의 비로 표현할 수 있다고 주장했던 학파였습니다. 그래서 이러한 새로운 수의 존재를 발견하고 증명까지 했지만 이 새로운 수를 비밀에 부쳤다고 합니다. 이들이 발견한 새로운 수는 무엇이고 어떤 성질이 있을까요?

이 단원에서는 새로운 수를 배웁니다. 이 수의 이름은 무엇이고 어떻게 표현하는지 탐구해 봅시다. 그리고 지금까지 우리가 알고 있던 수와 비교해 보면서 새로운 수가 가지는 성질을 이해해 봅시다.

/1/ 새로운 수의 발견

개념과 원리 탐구하기 1

준비물 : 자

소연이는 한 칸의 가로와 세로의 길이가 1인 모눈종이 위에서 A, B, C, D 중 두 점을 선분으로 연결하고 그 길이만큼 점수를 얻는 게임을 하고 있습니다.

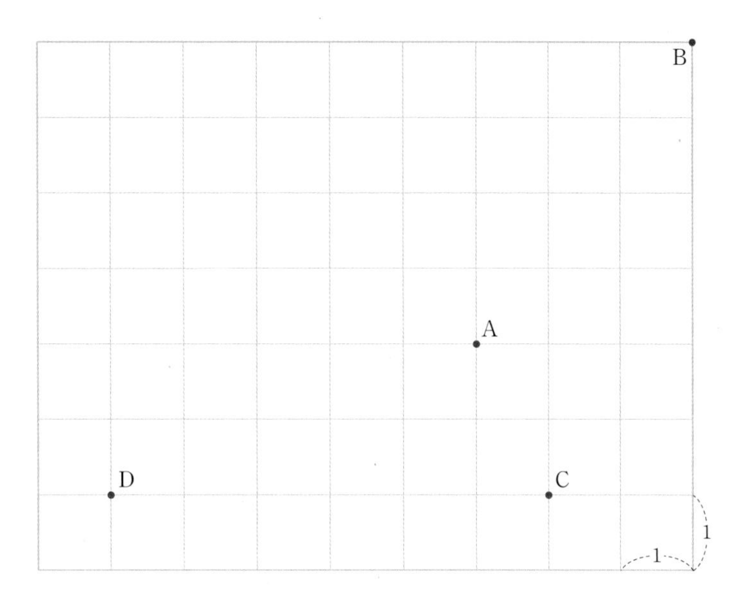

1 **다음을 함께 탐구해 보자.**

(1) 소연이는 점 A를 선택했습니다. 이 중 어떤 점을 연결해야 가장 큰 점수를 얻을 수 있는지 선택하고 그 이유를 설명해 보자.

(2) 소연이가 선분 AD의 길이를 수로 표현하지 않고 다음처럼 표현한 이유를 추측해 보자.

$\overline{AD}^2 = 29$

$\overline{AD}$는 제곱해서 29가 되는 수

(3) 네 점 A, B, C, D 중 두 점을 연결한 모든 선분의 길이를 소연이처럼 표현해 보자.

개념과 원리 탐구하기 2

제곱해서 25가 되는 수는 5와 -5입니다. 즉, $5^2=25$이고 $(-5)^2=25$입니다.
이와 같이 어떤 수 x를 제곱하여 a가 될 때, 즉 $x^2=a$일 때 x를 a의 **제곱근**이라고 합니다.
이때 25의 두 제곱근 중 양수인 것을 양의 제곱근, 음수인 것을 음의 제곱근이라 하고 **기호** $\sqrt{\ }$를 사용하여 25의 양의 제곱근은 $\sqrt{25}$, 25의 음의 제곱근은 $-\sqrt{25}$라고 나타냅니다.
이때 기호 $\sqrt{\ }$를 **근호**라 하고, $\sqrt{25}$를 '루트 25' 또는 '제곱근 25'라고 읽습니다.
여기서는 $\sqrt{25}=5$, $-\sqrt{25}=-5$입니다.

1 **다음을 함께 탐구해 보자.**

(1) 다음 □ 안에 들어갈 수를 모두 구해 보자.

① $(\square)^2=8$　② $(\square)^2=9$

③ $(\square)^2=16$　④ $(\square)^2=-9$

⑤ $(\square)^2=0$

(2) (1)을 통해 알 수 있는 사실을 모두 적어 보자.

2 다음을 함께 탐구해 보자.

(1) 다음 보현이의 말이 옳은지 판단하고 그렇게 판단한 이유를 설명해 보자.

보현: $\sqrt{\square^2}=4$에서 $\square$ 안에 들어갈 수는 2야.

(2) 가영이는 제곱근에 대하여 알게 된 사실을 다음과 같이 정리했습니다. 적은 내용에 대하여 각각 옳은지 판단해 보고 그 이유를 적어 보자.

		○, ×	이유
❶	$(-\sqrt{8})^2=8$		
❷	$-\sqrt{64}=-8$		
❸	$\sqrt{8^2}=8$		
❹	모든 수의 제곱근은 두 개다.		

3 다음 주어진 수의 값을 $\square$ 안에 써넣고 구한 방법을 제곱근의 뜻을 이용하여 설명해 보자.

(1) $\sqrt{(-6)^2}=\square$

(2) $-\sqrt{3^2}=\square$

(3) $(-\sqrt{5})^2=\square$

(4) $-\sqrt{49}=\square$

개념과 원리 탐구하기 3

▌준비물 : 자, 계산기

조리개는 카메라나 현미경에서 구멍의 크기를 조절하여 렌즈를 통과하는 빛의 양을 조절하는 원반 형태의 장치를 말합니다. 조리개의 수치가 클수록 렌즈에 달려 있는 조절 장치의 열리는 원이 작아져서 빛이 조금 들어옵니다.
아래 그림은 카메라에 표시된 조리개의 F값입니다. (단, 조리개의 수치는 F값으로 표시합니다.)

1 **카메라에 표시된 조리개의 수치는 그림처럼 F1.4, F2, F2.8, F4, ··· 등으로 표시됩니다. 다음 F값 사이에서 발견할 수 있는 규칙을 찾아보자.**

1.4	2	2.8	4	5.6	8	11	16	22	32

2 **오른쪽은 넓이가 2 cm^2인 정사각형입니다. 다음을 함께 탐구해 보자.**

(1) 정사각형의 한 변의 길이를 자로 재어 보자.

(2) (1)에서 잰 값을 한 변의 길이로 하는 정사각형의 넓이가 2 cm^2가 되는지 계산기의 곱하기(×) 기능만 사용하여 확인해 보자.

(3) 계산기로 구한 값이 2 cm^2가 나오지 않았다면 값을 어떻게 수정해야 할까요? 보다 정확한 값을 구하는 방법을 찾아 설명해 보자.

나의 생각	모둠의 의견

3 **새로 찾은 수로 정사각형의 넓이가 2 cm^2가 되는지 다시 계산해 보고 1 의 조리개 F값과 새로 찾은 수는 어떤 관계가 있는지 설명해 보자.**

개념과 원리 탐구하기 4

1 탐구하기 3에서 $\sqrt{2}$의 어림값을 찾은 방법으로 $\sqrt{10}$의 어림값을 찾아보자.

2 숙영이는 루트를 계산할 때 계산기를 사용했고, 여진이는 계산기를 사용하지 않았습니다.

(1) 두 사람의 방법으로 주어진 수를 제곱해 보자.

주어진 수	숙영이의 방법	여진이의 방법
$\sqrt{29}$	$5.3851648 \times 5.3851648 =$	$\sqrt{29} \times \sqrt{29} =$
$\sqrt{6}$		
$\sqrt{100}$		

(2) 위 표에서 알 수 있는 사실을 정리해 보자.

유리수는 유한소수나 순환하는 무한소수로 표현할 수 있다는 것을 배웠습니다. 순환하지 않는 무한소수는 분자, 분모가 모두 정수인 분수로 표현할 수 없는데 이런 수를 **무리수**라고 합니다.

3 **제곱근표를 이용하면 1.00부터 99.9까지의 수의 양의 제곱근의 어림한 값을 알 수 있습니다. 예를 들어 $\sqrt{1.23}$의 어림값은 제곱근표의 왼쪽에 있는 수 1.2의 가로줄과 위쪽에 있는 수 3의 세로줄이 만나는 곳의 수 1.109입니다. 즉, $\sqrt{1.23}$의 어림값은 1.109입니다. 다음을 함께 탐구해 보자.**

수	0	1	2	3	4
1.0	1.000	1.005	1.010	1.015	1.020
1.1	1.049	1.054	1.058	1.063	1.068
1.2	1.095	1.100	1.105	1.109	1.114
1.3	1.140	1.145	1.149	1.153	1.158
1.4	1.183	1.187	1.192	1.196	1.200

(1) $\sqrt{2.35}=1.533$의 의미를 설명해 보자.

(2) 158쪽~161쪽의 제곱근표를 이용하여 다음 수의 어림한 값을 구해 보자.

① $\sqrt{3.51}$ ② $\sqrt{17}$ ③ $\sqrt{2.8}$

(3) 다음 **[보기]**의 수들을 유리수와 무리수로 구분해 보고 그 이유를 적어 보자.

[보기]

$\sqrt{1}$, $\sqrt{2}$, $\sqrt{3}$, $\sqrt{4}$, $\sqrt{5}$, $\sqrt{6}$, $\sqrt{7}$, $\sqrt{8}$, $\sqrt{9}$, $\sqrt{10}$

	유리수	무리수
구분		
이유		

개념과 원리 탐구하기 5

1 **다음을 함께 탐구해 보자.**

(1) -5와 5 사이의 ①, ②, ③에 알맞은 수를 주어진 수직선에 표시해 보자.

① 모든 자연수

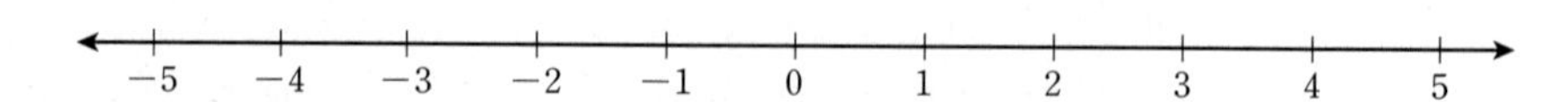

② 모든 정수

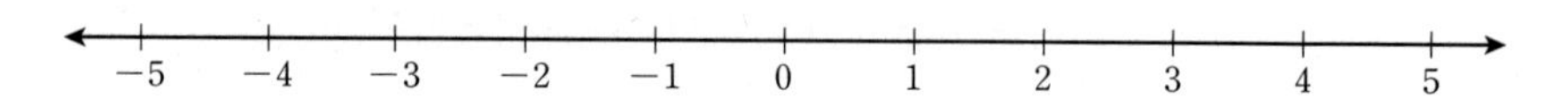

③ 모든 유리수

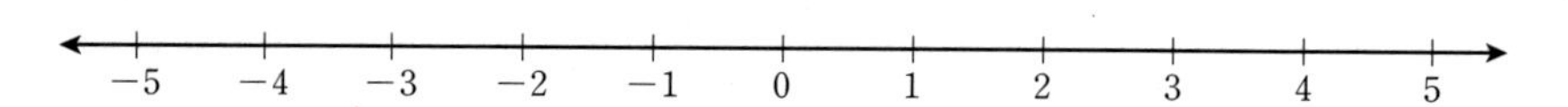

(2) (1)에서 알 수 있는 사실을 두 가지 이상 찾아 적어 보자.

2 **다음을 함께 탐구해 보자. (단, 가로와 세로의 점의 간격은 1입니다.)**

(1) $\sqrt{2}$와 $-\sqrt{2}$를 수직선에 표시해 보자.

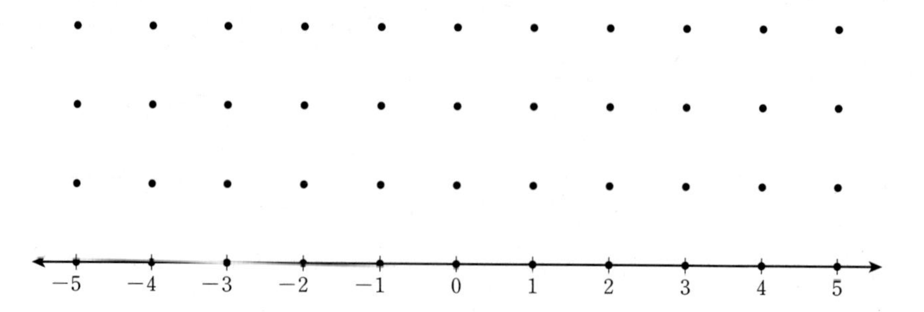

(2) $\sqrt{5}$와 $-\sqrt{5}$를 수직선에 표시해 보자.

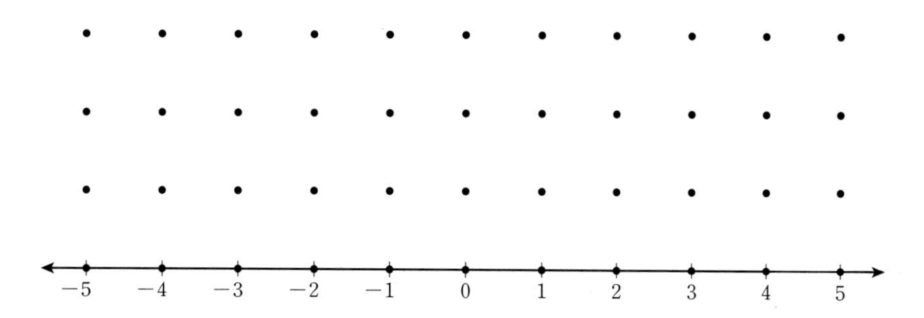

(3) $\sqrt{7}$도 수직선에 표시할 수 있는지 판단해 보고 그렇게 생각한 이유를 써보자.

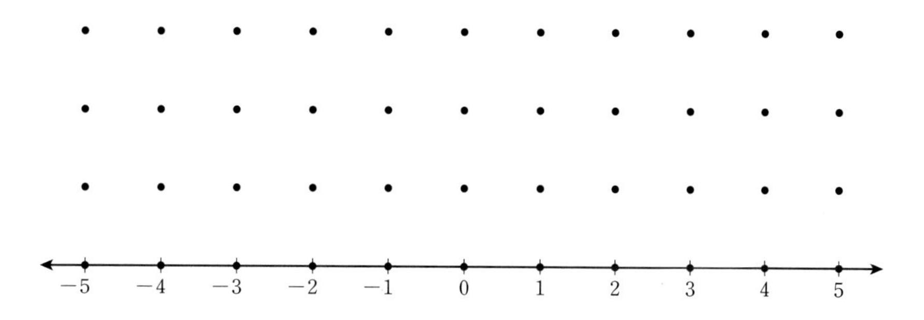

3 모든 무리수를 수직선에 표시할 수 있는지 판단해 보고 그렇게 생각한 이유를 설명해 보자.

판단	있다	없다
이유		

개념과 원리 탐구하기 6

유리수와 무리수를 통틀어 **실수**라고 합니다. 모든 실수에 수직선 위의 점이 하나씩 대응하고, 수직선 위의 모든 점에 실수가 하나씩 대응합니다. 즉, 실수에 대응하는 점들로 수직선을 완전히 채울 수 있습니다.

1 **탐구하기 1에서 소연이가 찾은 선분의 길이는 [보기]와 같습니다.**

[보기]

$\overline{AB}=5$, $\overline{AC}=\sqrt{5}$, $\overline{AD}=\sqrt{29}$, $\overline{BC}=\sqrt{40}$, $\overline{BD}=\sqrt{100}$, $\overline{CD}=6$

(1) 찾은 선분의 길이가 어느 정도 크기의 값인지 계산기를 이용하여 어림값을 구해 보자.

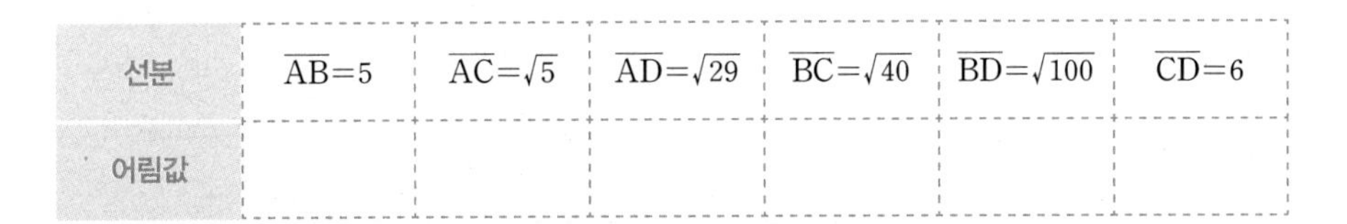

선분	$\overline{AB}=5$	$\overline{AC}=\sqrt{5}$	$\overline{AD}=\sqrt{29}$	$\overline{BC}=\sqrt{40}$	$\overline{BD}=\sqrt{100}$	$\overline{CD}=6$
어림값						

(2) (1)을 참고하여 **[보기]**의 수를 수직선에 대략적으로 표시해 보자.

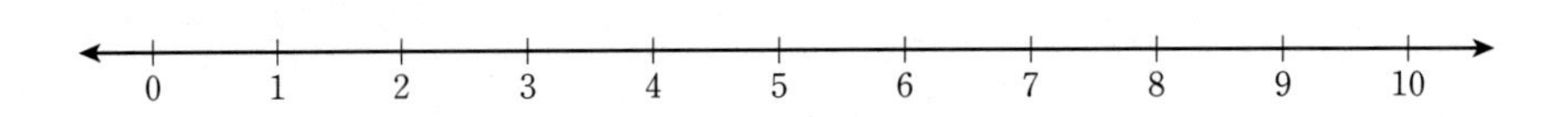

(3) 근호를 이용하여 수를 3개 이상 만들어 보고 내가 만든 수와 친구들이 만든 수를 (2)의 수직선에 표시해 보자. 그리고 그렇게 생각한 이유를 설명해 보자.

2 다음은 지은이와 성수의 대화입니다. 대화를 완성해 보자.

3 다음 $\sqrt{\square}$ 안에 알맞은 수를 7개 이상 찾고, 찾은 방법을 설명해 보자.

난 3보다 크고 4보다 작아. $\sqrt{\square}$

수	
방법	

게임하며 탐구하기 7

주어진 문제의 답에 해당하는 문자를 다음 표에서 골라 수학자를 맞혀 보자.

$-\sqrt{6}$	$\sqrt{6}$	$\sqrt{2}$	2	$\sqrt{10}$	-4	4	$\sqrt{7}$	$-\sqrt{7}$	$-\sqrt{5}$
소	페	피	가	데	라	일	고	트	오
$\sqrt{5}$	$\sqrt{9}+1$	$\sqrt{10}-1$	$-\sqrt{8}$	$\sqrt{8}$	3	-3	-5	5	-6
그	스	제	우	르	러	맹	카	타	마

1

프랑스의 철학자, 수학자, 물리학자, 생리학자로 수학 분야에서는 해석기하학의 창시자입니다. 어느날 누워서 천장을 바라보는데 천장에 붙어 요리조리 움직이는 파리의 위치를 어떻게 표현하면 좋을까를 고민하다가 좌표를 만들어 냈다는 일화로 유명합니다.

(1) 넓이가 10인 정사각형의 한 변의 길이는?

(2) -5와 $-\sqrt{29}$ 중 더 큰 수는?

(3) 한 변의 길이가 2인 정사각형의 대각선의 길이는?

(4) 제곱하여 7이 되는 수 중 음수인 수는?

문제	(1)	(2)	(3)	(4)
정답				
문자				

2

프랑스의 법률가로 수학을 취미로 연구했지만 17세기 최고의 수학자로 손꼽힙니다. 공부하던 책에 다음과 같은 메모를 남겨 놓아서 많은 수학자들을 이 문제에 매달리게 만들었습니다.

> n이 2보다 큰 정수일 때, 방정식 $x^n+y^n=z^n$을 만족하는 양의 정수 x, y, z는 존재하지 않는다.
> 나는 이 문제를 증명했는데 책의 여백이 좁아서 여기에 남길 수가 없다.

이 문제는 357년 동안이나 미해결 문제로 남아 있다가 1994년 영국의 수학자 앤드루 와일즈에 의해 증명되었습니다.

(1) 오른쪽 세 수 중 무리수인 것은?

$\sqrt{4}$, $\sqrt{6}$, $\sqrt{9}+1$

(2) 오른쪽 직각삼각형에서 한 변의 길이 x의 값은?

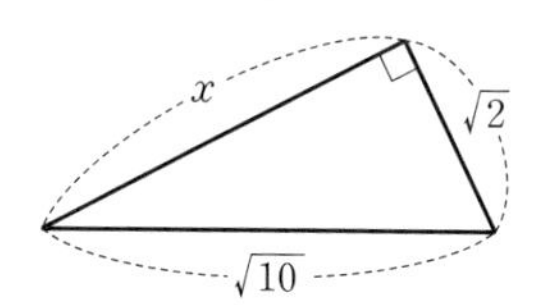

(3) $-\sqrt{36}$을 간단히 하면?

문제	(1)	(2)	(3)
정답			
문자			

3

스위스의 수학자, 물리학자, 천문학자로 수학 분야에서는 미적분학을 크게 발전시키고 대수학, 정수론, 기하학 등에 업적을 남겼습니다. 삼각함수의 기호는 물론이고 현재 수학에 사용되는 대부분의 기호를 만들고 체계화시켰습니다. 7개의 다리를 모두 한번씩 지나는 쾨니히스베르크의 다리 건너기 문제를 해결하기도 했습니다. 후에 시력을 잃고 시각장애인이 되었음에도 불구하고 끝까지 연구를 손에서 놓지 않았던 수학자입니다.

(1) $\sqrt{25}$의 음의 제곱근은?

(2) 다음 그림에서 x의 값은?

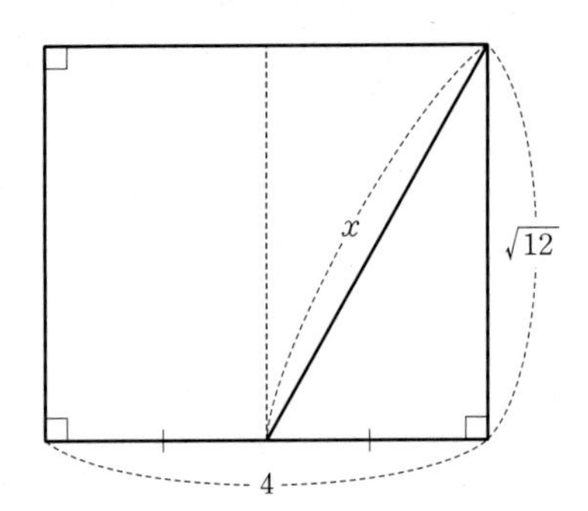

(3) $\sqrt{10}-1$과 3 중에서 더 큰 수는?

문제	(1)	(2)	(3)
정답			
문자			

탐구 되돌아보기

1 다음 수에 대하여 알고 있는 사실을 모두 적어 보자.

(1) $\sqrt{6}$

(2) $\sqrt{16}$

(3) 두 수 $\sqrt{6}$과 $\sqrt{16}$의 서로 다른 특징에 대하여 적어 보자.

2 다음 □ 안에 들어갈 수 있는 수를 찾아 다양한 방법으로 표현해 보자.

(1) $\sqrt{(\square)^2}=8$

(2) $\sqrt{(\square)^2}=16$

(3) $\sqrt{\square}=\frac{2}{5}$

(4) $\sqrt{\square}=3.6$

3 다음 세 수의 관계에 대하여 써보자.

넓이가 4인 정사각형의 한 변의 길이	$\sqrt{4}$	4의 제곱근

4 **영호는 제곱근표를 이용하여 운동장에 넓이가 $45\ m^2$인 정사각형을 그리려고 합니다. 다음을 함께 탐구해 보자.**

(1) 정사각형의 한 변의 길이는 약 몇 m로 그리면 좋을지 써보자.

(2) 영호의 다음 주장이 옳은지 판단하고 그 이유를 써보자.

영호: $\sqrt{45}$는 무리수인데 소수로 나타내면 무한소수야. 따라서 모든 무한소수는 무리수라고 할 수 있어.

5 **아래 그림은 두 변의 길이가 1인 직각이등변삼각형으로 시작하여 빗변을 한 변으로 하는 직각삼각형을 계속 그린 것으로 '테오도로스의 바퀴'라고 부릅니다. 그림에 있는 16개의 직각삼각형의 빗변에 길이를 모두 적어 보고 이 그림에서 알 수 있는 사실을 모두 써보자.**

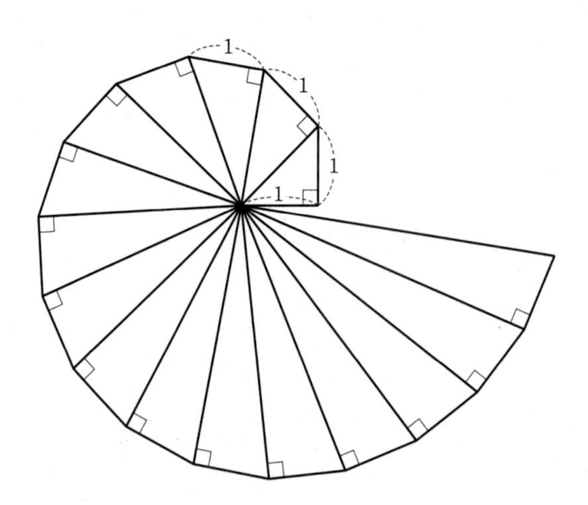

6 다음 두 수 사이에 알맞은 부등호를 ◯ 안에 써넣고 그렇게 생각한 이유를 설명해 보자.

(1) $\sqrt{5}$ ◯ $\sqrt{7}$

(2) 25 ◯ $\sqrt{500}$

(3) $\sqrt{13}$ ◯ 4

(4) $-\sqrt{6}$ ◯ $-\sqrt{7}$

내가 만드는 수학 이야기

7 10과 $\sqrt{10}$이라는 수에 대한 이야기를 만들어 보자.

제 목

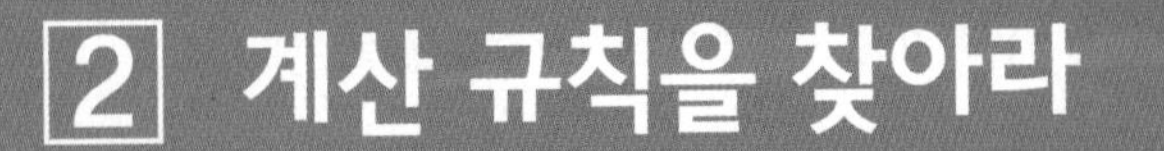

2 계산 규칙을 찾아라

자연수를 배우고 나서 자연수끼리의 덧셈과 뺄셈, 곱셈과 나눗셈을 배움으로써 자연수에 대해 깊이 이해하게 되었습니다. 분수를 배우고 나서 분수의 덧셈, 뺄셈, 곱셈, 나눗셈의 계산을 하면서 분수의 성질을 알게 되었고요.

유리수와 새로운 수인 무리수를 합쳐서 실수라고 했습니다. 새롭게 알게 된 실수의 덧셈과 뺄셈, 곱셈과 나눗셈에는 어떤 규칙이 있을까요? 특히 근호를 포함한 새로운 수들을 어떻게 더하고 빼고 곱하고 나눌 수 있을까요? 무리수도 분수와 소수처럼 꼴을 바꿀 수 있거나 나눗셈을 할 때 역수가 필요하지는 않을까요?

이 단원에서는 새로운 수인 무리수를 계산하는 방법을 알아보고 무리수로 된 식을 발견한 규칙에 맞게 계산해 봅시다. 그 방법 속에서 무리수의 성질을 다시 정리해 보는 시간도 가져 봅시다.

/ 1 / 새로운 수의 계산

개념과 원리 탐구하기 1

1 [보기]에 주어진 단어와 문자를 모두 사용하여 제곱근을 설명해 보자.

[보기]

제곱근, 제곱, $+\sqrt{a}$, $-\sqrt{a}$, a

2 다음을 함께 탐구해 보자.

(1) $(\sqrt{a})^2=a$ (단, $a>0$)을 제곱근의 뜻을 이용하여 설명해 보자.

(2) $\sqrt{a^2}=a$가 항상 옳은지 판단하고 그 이유를 제곱근의 뜻을 이용하여 설명해 보자.

나의 생각

모둠의 의견

개념과 원리 탐구하기 2

가로와 세로의 점의 간격이 모두 1인 점 종이에 넓이가 4인 직사각형이 그려져 있습니다.

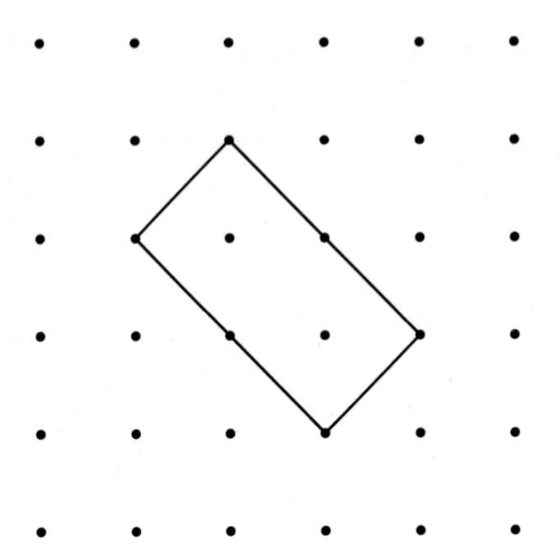

1 가로와 세로의 길이를 이용하여 직사각형의 넓이를 구하는 식을 써보고, 친구들의 방법과 비교해 보자. (단, 계산은 하지 않아도 됩니다.)

내가 구한 식	모둠에서 구한 식

2 다음을 함께 탐구해 보자.

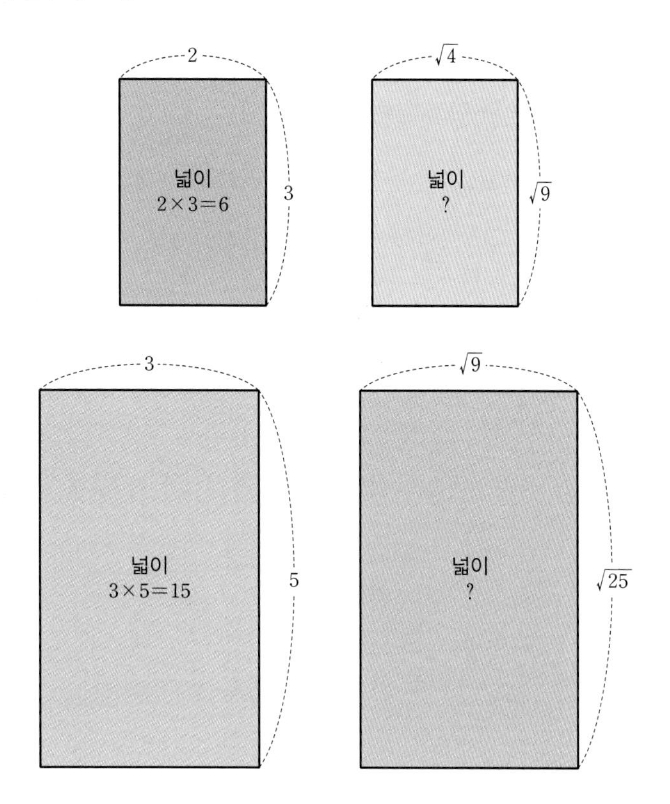

(1) 위 그림을 이용하여 제곱근의 곱셈 방법을 만들어 보자.

(2) (1)의 결과를 이용하여 다음 제곱근의 곱셈 결과를 추측하고 그렇게 생각한 이유를 설명해 보자.

	$\sqrt{2}\times\sqrt{8}$	$-\sqrt{2}\times\sqrt{8}$
결과		
이유		

개념과 원리 탐구하기 3

1 **다음을 함께 탐구해 보자.**

(1) 곱해서 $\sqrt{12}$가 나오는 수들의 곱을 있는대로 모두 찾아보자.

$\sqrt{12}=$

(2) 보현이의 말이 참인지 거짓인지 판단하고 그렇게 생각한 이유를 써보자.

보현 $\sqrt{12}=\sqrt{3}\times\sqrt{4}=2\sqrt{3}$이야.

판단	참	거짓
이유		

(3) (1)과 (2)를 이용하여 $\sqrt{72}$를 다른 표현으로 바꾸어 보자.

$\sqrt{72}=$

(4) (3) 중에서 가장 간단하다고 생각되는 표현을 골라 보고 그 이유도 말해 보자.

가장 간단한 표현	
이유	

$2\times a=2a$로 쓰듯이 $\sqrt{2}$를 문자와 같이 취급하여 곱셈 기호를 생략하고 $2\times\sqrt{2}=2\sqrt{2}$라고 씁니다.

2 **제곱근의 계산에 대한 친구들의 생각이 옳은지 틀린지 판단해 보고 틀린 부분은 옳게 고쳐 보자.**

	친구들의 생각	O, ×	틀린 부분 고치기
(1)	제곱근끼리의 곱셈은 $\sqrt{5}\times\sqrt{2}=\sqrt{10}$처럼 루트 안에 있는 수끼리 곱하면 돼.		
(2)	$2\sqrt{2}=2\times\sqrt{2}$라서 $\sqrt{2}$의 2배라는 뜻이고, $\sqrt{8}$과는 다른 값이야.		
(3)	루트 안의 수가 크면 $\sqrt{24}=4\sqrt{6}$처럼 루트 안의 수를 간단히 할 수도 있어.		

3 **다음을 함께 탐구해 보자.**

(1) 곱해서 $-\sqrt{45}$가 나오는 수들의 곱을 있는 대로 모두 찾아보자.

$-\sqrt{45}=$

(2) (1) 중에서 가장 간단하다고 생각되는 표현을 골라 보고 그 이유도 말해 보자.

가장 간단한 표현	
이유	

개념과 원리 탐구하기 4

1 다음은 가로와 세로의 점의 간격이 모두 1인 점 종이입니다. 세 선분 $\overline{AB}$, $\overline{BC}$, $\overline{CD}$의 길이를 구하는 식을 써보고 친구들의 표현과 비교해 보자.

(1) $\overline{AB}$

(2) $\overline{BC}$

(3) $\overline{CD}$

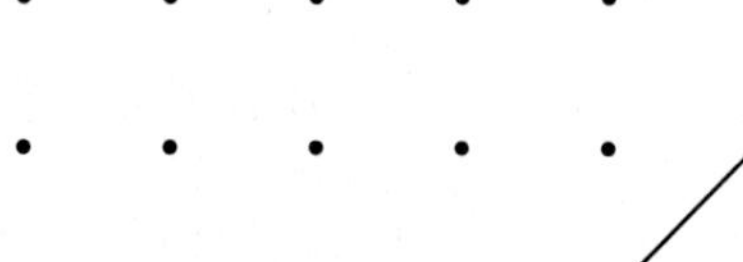

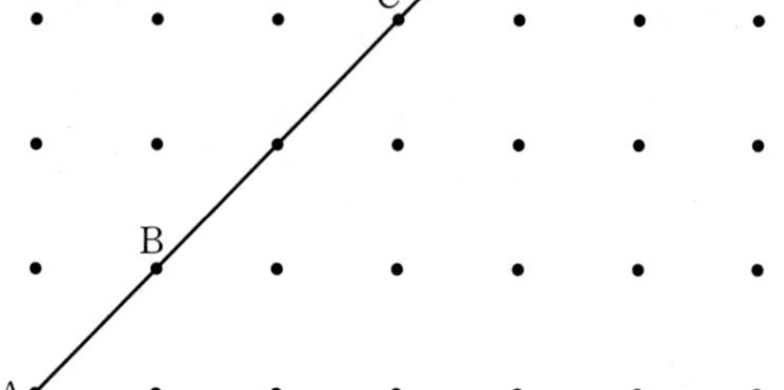

2 오정이는 문제를 풀다가 다음과 같은 사실을 발견했습니다. 오정이의 의견이 참인지, 거짓인지 판단하고 그렇게 생각한 이유를 써보자.

오정 : 와~! $\sqrt{2}+\sqrt{2}=\sqrt{8}$이야!!

판단	참 , 거짓
이유	

3 $\sqrt{3}+\sqrt{3}=2\times\sqrt{3}$이므로 $2\sqrt{3}$이라고 쓸 수 있습니다. 이를 참고하여 오른쪽 식을 더 간단한 표현으로 바꾸어 보고 그렇게 생각한 이유를 써보자.

$2\sqrt{2}+3\sqrt{2}$

가장 간단한 표현	
이유	

4 다음 수연이와 지은이의 생각에 대하여 옳은지 옳지 않은지 판단하고 그렇게 판단한 이유를 적어 보자.

		O, ×	이유
수연	$\sqrt{2}+\sqrt{5}=\sqrt{7}$		
지은	$\sqrt{20}-\sqrt{5}=\sqrt{15}$		

5 빈칸에 알맞은 수를 넣어 등식을 만족하도록 완성하고, 모둠에서 친구들이 완성한 식을 서로 확인해 보자.

(1) $\square - \square = \sqrt{6}$

내가 구한 식	모둠에서 구한 식

(2) $\square + \square - \square = 3\sqrt{2}-\sqrt{3}$

내가 구한 식	모둠에서 구한 식

개념과 원리 탐구하기 5

1 다음은 친구들이 $\sqrt{6}\div\sqrt{3}$을 계산하기 위해 $\sqrt{3}$의 역수를 구한 것입니다. 민서, 영은, 준희의 의견을 보고 이렇게 구한 이유를 추측하여 써보자. 그리고 틀린 설명이 있다면 옳게 고쳐 보자.

(1) 민서의 이유는

(2) 영은이의 이유는

(3) 준희의 이유는

2 **1** 을 이용하여 다음 제곱근의 나눗셈을 계산하고 어떻게 구했는지 설명해 보자.

(1) $\sqrt{6}\div\sqrt{3}$

(2) $\sqrt{2}\div\sqrt{3}$

3 양변을 제곱한 식을 비교하여 두 양수 a, b에 대하여 다음이 성립함을 설명해 보자.

(1)

$a>0$, $b>0$일 때, $\sqrt{a}\sqrt{b}=\sqrt{ab}$

(2)

$a>0$, $b>0$일 때, $\frac{\sqrt{a}}{\sqrt{b}}=\sqrt{\frac{a}{b}}$

4 □ 안에 알맞은 표현을 쓰고 그 이유를 설명해 보자.

$a>0$, $b>0$일 때, $\sqrt{a^2b}=$ □

개념과 원리 탐구하기 6

1 **제곱근표에서 $\sqrt{2}$의 값은 1.414, $\sqrt{3}$의 값은 1.732, $\sqrt{6}$의 값은 2.449라고 합니다.**

(1) 다음 두 나눗셈을 소수 셋째 자리까지 구하고 그 결과를 비교해 보자.

$\frac{\sqrt{2}}{\sqrt{3}}=$ $\frac{\sqrt{6}}{3}=$

(2) 위의 두 수 중 값을 계산하기 더 쉬운 것을 골라 보고 그렇게 생각한 이유를 써보자.

2 **다음을 함께 탐구해 보자.**

분모에 무리수가 있는 경우에 분모와 분자에 0이 아닌 수나 식을 곱하여 분모를 유리수로 만드는 것을 **분모의 유리화**라고 합니다.

(1) $\frac{1}{\sqrt{3}}$을 예로 들어 분모의 유리화 방법에 대하여 설명해 보자.

(2) $\frac{\sqrt{3}}{\sqrt{45}}$의 분모를 유리화하고 나와 다른 풀이 방법이 있다면 모둠에서 공유하여 정리해 보자.

(3) $a>0$, $b>0$일 때, 다음 분수의 분모를 유리화하는 방법을 문자를 이용하여 표현해 보자.

$a>0$, $b>0$일 때, $\frac{\sqrt{a}}{\sqrt{b}}=$

게임하며 탐구하기 7

▮ 준비물 : 가위
145쪽, 147쪽 〈부록 1〉을 오려서 완성하세요.

아래 그림의 삼각형의 각 변에는 문제와 답이 섞여 있습니다. 삼각형의 각 변에 있는 문제를 찾아 답을 구한 후 삼각형을 오려서 문제에 해당하는 답을 찾아 변에 붙여 주면 그림이 완성됩니다. 올바른 답을 붙여 그림을 완성해 보자.

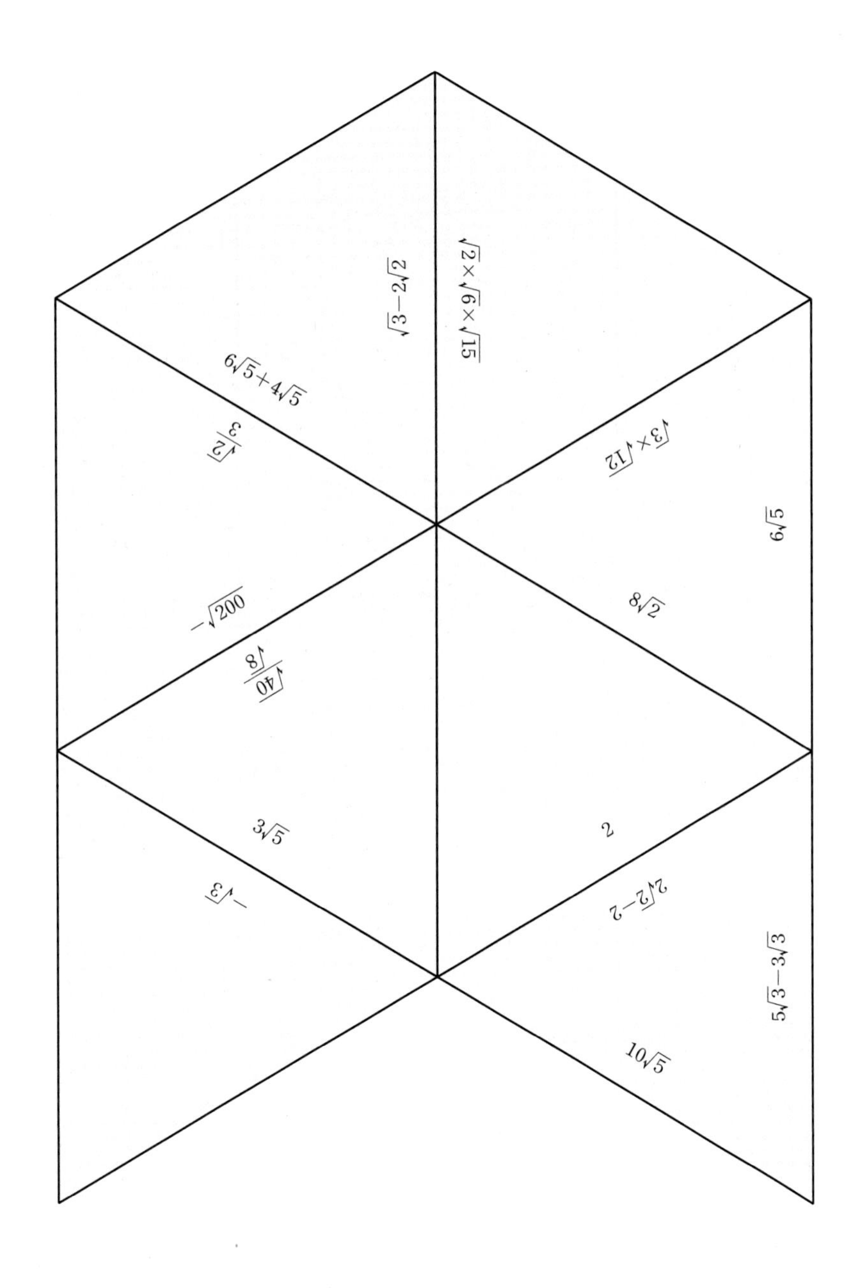

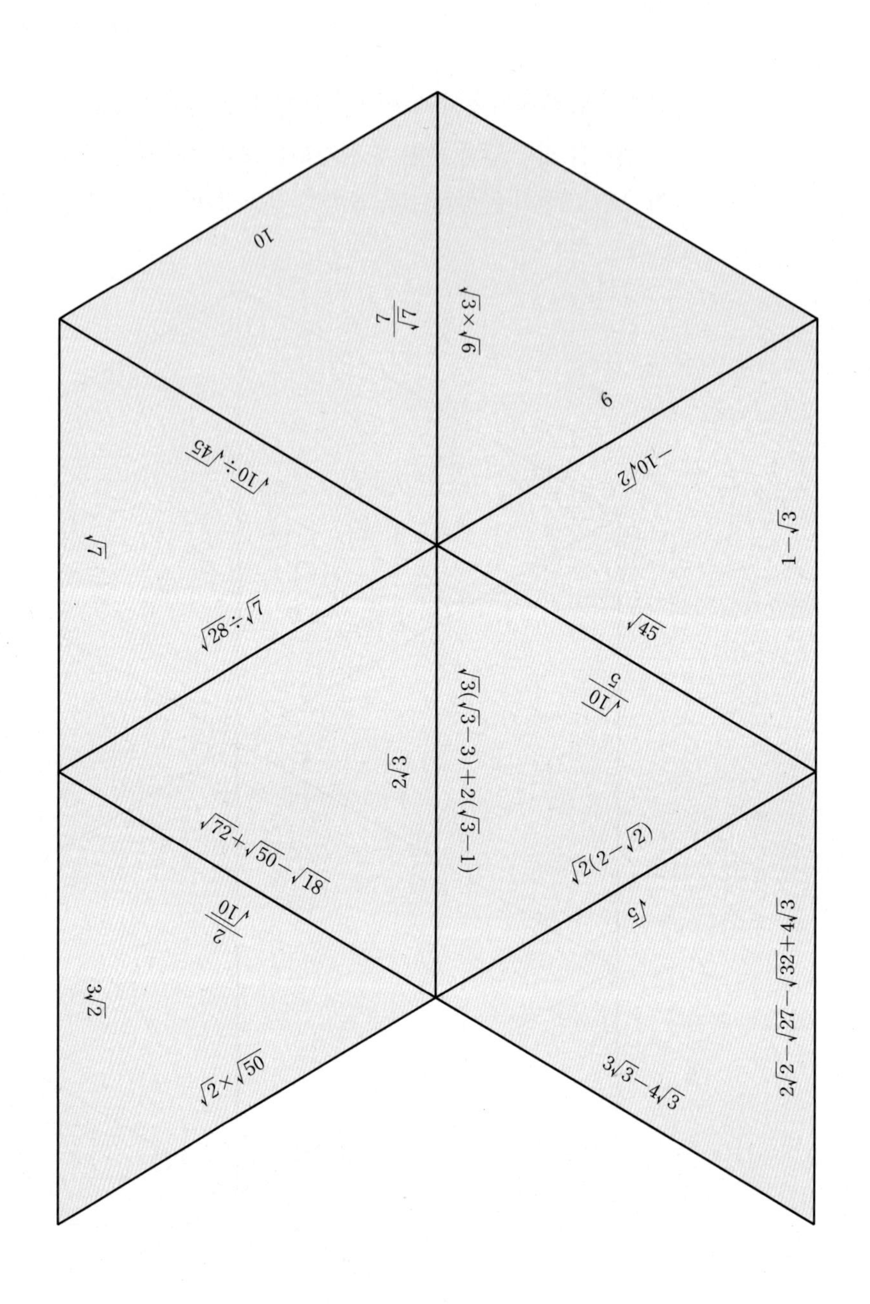

10
$\frac{7}{\sqrt{7}}$
$\sqrt{3}\times\sqrt{6}$
6
$-10\sqrt{2}$
$1-\sqrt{3}$
$\sqrt{10}\div\sqrt{45}$
$\sqrt{7}$
$\sqrt{28}\div\sqrt{7}$
$\sqrt{45}$
$\frac{\sqrt{10}}{5}$
$2\sqrt{3}$
$\sqrt{3}(\sqrt{3}-3)+2(\sqrt{3}-1)$
$\sqrt{72}+\sqrt{50}-\sqrt{18}$
$\sqrt{2}(2-\sqrt{2})$
$\frac{\sqrt{10}}{2}$
$\sqrt{5}$
$3\sqrt{2}$
$2\sqrt{2}-\sqrt{27}-\sqrt{32}+4\sqrt{3}$
$\sqrt{2}\times\sqrt{50}$
$3\sqrt{3}-4\sqrt{3}$

탐구 되돌아보기

1 다음을 함께 탐구해 보자. (단, 가로와 세로의 점의 간격은 모두 1입니다.)

(1) 아래 그림에서 점 A가 나타내는 값을 구하고 구한 방법을 설명해 보자.

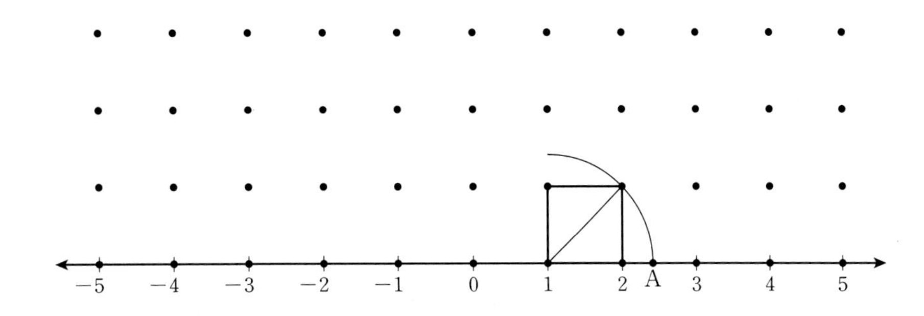

(2) (1)에서 점 A가 나타내는 값을 알아낸 방법을 참고하여 $1-\sqrt{2}$를 수직선 위에 나타내 보고 그 방법을 설명해 보자.

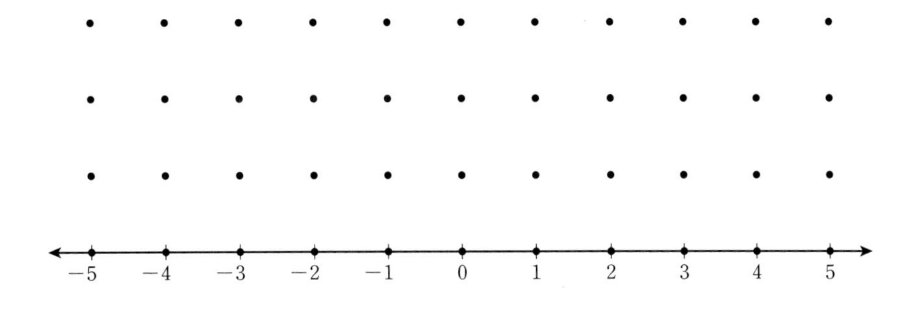

2 다음 그림에서 사각형 AEFB는 넓이가 5인 정사각형이고, 사각형 ADGH는 넓이가 10인 정사각형입니다. 직사각형 ABCD의 둘레의 길이를 구해 보자.

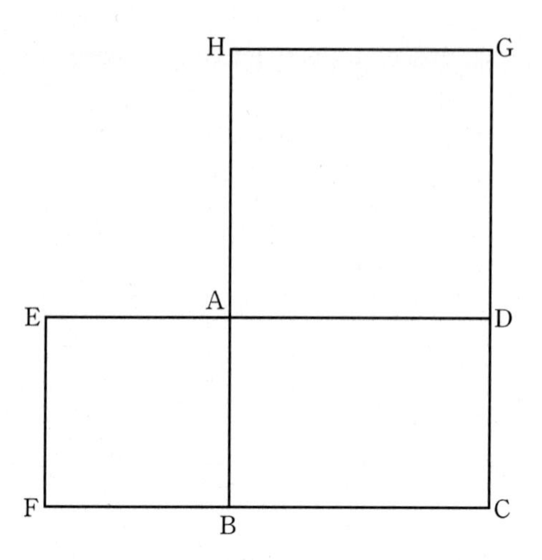

3 수연이는 $3\sqrt{2}+2\sqrt{5}=5\sqrt{7}$ 이라고 생각하고 있습니다. 수연이의 생각이 옳은지 판단하고 그렇게 생각한 이유를 설명해 보자.

판단	이유
옳다	
옳지 않다	

4 $\frac{3}{\sqrt{3}}$ 은 약분하여 더 간단히 할 수 있는지 판단하고 그 이유를 설명해 보자.

판단	이유
약분할 수 있다	
약분할 수 없다	

5 무리수와 유리수를 통틀어 실수라고 합니다. 우리가 중학교에서 배운 정수와 유리수, 순환소수, 순환하지 않는 무한소수(무리수)의 예를 3개씩 찾아 적어 보자.

	예
정수	
유리수	
순환소수	
무리수	

6 칠교놀이는 큰 정사각형을 일곱 개의 조각으로 만들어 다양한 모양을 만드는 도형 퍼즐 놀이입니다. 한 변의 길이가 12인 정사각형을 7개의 조각으로 나눈 칠교 조각의 각 변의 길이를 구하고, 이를 가지고 아래와 같은 도형을 만들었을 때, 그 도형의 둘레의 길이를 구해 보자.

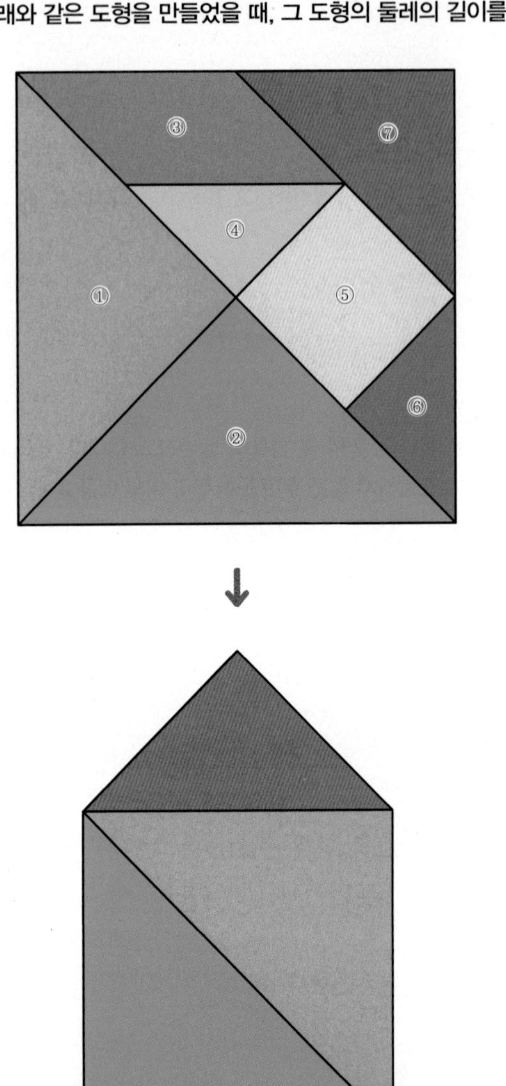

내가 만드는 수학 이야기

7 다음 용어 중 몇 개를 포함하여 무리수와 그 계산에 대한 이야기를 만들어 보자.

용어
제곱근, 근호($\sqrt{}$), 유리수, 무리수, 실수, 분모의 유리화

제 목

개념과 원리 연결하기

1 아래 오정이의 계산에 대하여 자신의 의견을 쓰고 그렇게 생각한 이유를 써보자.

$$\sqrt{7}-\sqrt{3}=\sqrt{4}=2$$

나의 첫 생각

다른 친구들의 생각

정리된 나의 생각

2 무리수의 개념을 정리해 보자.

(1) 이 단원에서 알게 된 제곱근과 무리수의 개념을 모두 정리해 보자.

(2) 무리수와 연결된 개념을 복습해 보자. 그리고 제시된 개념과 무리수 사이의 연결성을 찾아 모둠에서 함께 정리해 보자.

무리수와 연결된 개념	각 개념의 뜻과 무리수의 연결성
• 소인수분해 • 정수와 유리수 • 유리수의 소수 표현 • 수의 대소 관계 • 순환소수와 무한소수 • 피타고라스 정리 • 동류항 정리	

Discover the truth : 정상 도착!

수학 학습원리 완성하기

현정이는 18쪽 1 탐구하기 4 2 를 해결하기 위한 자기 사고 과정을 다음과 같은 방법으로 설명했습니다.

내가 선택한 탐구 과제

2 숙영이는 루트를 계산할 때 계산기를 사용했고, 여진이는 계산기를 사용하지 않았습니다.

(1) 두 사람의 방법으로 주어진 수를 제곱해 보자.

주어진 수	숙영이의 방법	여진이의 방법
$\sqrt{29}$	$5.3851648 \times 5.3851648 =$	$\sqrt{29} \times \sqrt{29} =$
$\sqrt{6}$		
$\sqrt{100}$		

현정이의 깨달음

중학교에 올라와서 정수와 유리수를 배우고 그것을 계산하는 방법을 배웠는데, 그것으로 표현할 수 없는 수가 존재한다는 사실이 놀랍다. 그리고 그러한 수를 루트라는 기호를 사용하여 표현한다는 것을 알게 되었다. 이 세상에는 내가 알지 못하는 것들이 너무 많은 것 같다. 새로운 수는 규칙없이 끝이 없는 무한소수인데 2학년 때 배웠던 순환소수와 연결된다는 것이 놀랍다. 계산기에 따라서 $\sqrt{29}$와 $\sqrt{6}$의 값이 다르게 나올 수 있다는 것도 알게 되었다. 계산기도 정확하지 않을 수 있고, 혹시 계산기로 정확하게 표현할 수 없는 수가 무리수가 아닐까 하는 생각이 들어 신기했다.

수학 학습원리

학습원리 5. 여러 가지 수학 개념 연결하기

1 현정이의 설명에서 다른 수학 학습원리를 발견할 수 있는지 찾아보자.

2 현정이가 한 것처럼 이 단원의 다른 탐구 과제를 선택하여 해결하는 사고 과정을 설명해 보고 사용한 수학 학습원리를 찾아보자.

내가 선택한 탐구 과제

나의 깨달음

수학 학습원리

수학 학습원리

1. 끈기 있는 태도와 자신감 기르기
2. 관찰하는 습관을 통해 규칙성 찾아 표현하기
3. 수학적 추론을 통해 자신의 생각 설명하기
4. 수학적 의사소통 능력 기르기
5. 여러 가지 수학 개념 연결하기

STAGE 2

참이 되는 값을 찾아보자

1 이차항을 품은 등식

/ 1 / 참이 되게 하는 값

2 이차식의 변신

/ 1 / 식도 수처럼 분해할 수 있을까

/ 2 / 분해하면 보이는 근

3 언제나 통하는 식

/ 1 / 해를 구하는 식

한정된 공간, 어떻게 사용할까?

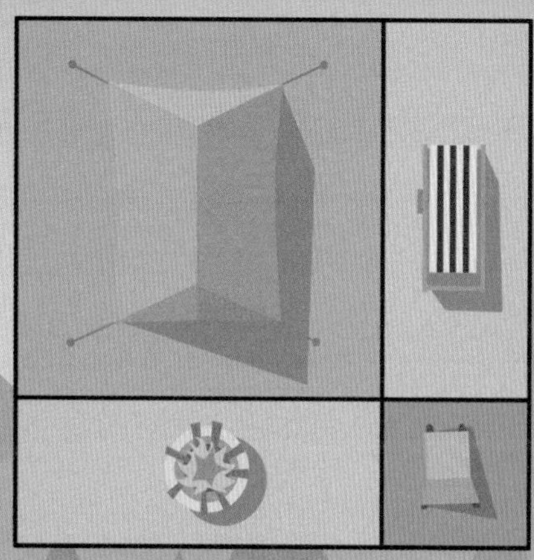

해먹 침대를 치려고 하는데 네모난 땅을 어떻게 나누어야 할까요? 캠핑 공간은 하나지만 그 안에서 필요한 작은 공간들로 나누고 그것들을 다시 합하면 하나가 됩니다.
이 단원에서는 하나의 식을 만드는 데에도 나뉘어지는 작은 식들이 있다는 것을 발견해 봅니다.

1 이차항을 품은 등식

미지수 x에 대한 방정식은 여러 가지 방법으로 해결할 수 있습니다. 그런데 방정식의 해의 개수는 항상 한 개일까요? 고대 그리스의 수학자 디오판토스는 방정식의 차수에 관계없이 한 개의 답만으로 만족했다고 합니다. 차수가 1인 방정식과 차수가 2인 방정식은 어떤 차이가 있을까요? 그리고 차수가 2인 방정식은 몇 개의 해를 가질지 예측해 봅시다.
이 단원에서는 일차방정식과 다른 새로운 방정식을 배우고 그 방정식의 특징을 탐구합니다. 방정식의 해를 구하는 기본적인 방법을 배우고 여러 가지 방정식을 풀어 봅시다.

/1/ 참이 되게 하는 값

개념과 원리 탐구하기 1

1 **도현이네 학교에서는 5월을 '친구 사랑 주간'으로 정하고 서로에게 칭찬 편지를 쓰는 이벤트를 진행하려고 합니다. 다음을 함께 탐구해 보자.**

(1) 반장인 도현이가 칭찬 편지 쓰기에서 모은 포스트잇이 모두 420장이었다면 도현이네 학급의 전체 학생 수는 몇 명인지 구하고 그 이유를 써보자.

[칭찬 편지 쓰기 규칙]

1 학급의 전체 학생이 참여합니다.
2 나를 제외한 모든 친구에게 1명당 1장의 포스트잇에 '칭찬하는 글 또는 힘이 나는 글'을 씁니다. (반드시 from, to를 적습니다.)
3 반장은 학급 전체 학생이 쓴 포스트잇을 모아 받는 사람의 이름이 같은 것끼리 분류하고, 큰 종이에 붙여서 전해줍니다.

예상 전체 학생 수(명)	필요한 포스트잇 개수(장)
10	90
11	110
12	132

등식의 모든 항을 좌변으로 이항하여 정리하였을 때

$$(x\text{에 대한 이차식})=0$$

의 꼴로 나타내어지는 방정식을 x에 대한 **이차방정식**이라고 합니다. 일반적으로 x에 대한 이차방정식은 다음과 같은 꼴로 나타낼 수 있습니다.

$$ax^2+bx+c=0\ (a,\ b,\ c\text{는 실수},\ a\neq0)$$

이차방정식 $ax^2+bx+c=0$을 참이 되게 하는 x의 값을 이차방정식의 **해** 또는 **근**이라 하고, 이차방정식의 해를 모두 구하는 것을 **이차방정식을 푼다**고 합니다.

(2) 도현이네 반 학생 수를 구하기 위한 방정식을 세우고 그 식이 이차방정식인지 판단해 보자.

(3) (1)에서 구한 값이 (2)에서 구한 방정식의 해인지 판단하고 그 이유를 써보자.

2 **은정이가 다음과 같이 말했습니다. 이 말에 대해 참, 거짓을 판단하고 은정이가 그렇게 생각한 이유를 써보자.**

은정 $x=\sqrt{10}$은 일차방정식이 아니라 이차방정식이야.

개념과 원리 탐구하기 2

1 x의 값이 다음 표와 같이 주어질 때 각 이차방정식을 참이 되게 하는 x의 값을 찾고, 해를 색칠해 보자. 모둠 친구들과 해를 찾은 방법을 비교해 보자.

번호	이차방정식	x의 값				
(1)	$x^2-4=0$	-3	-2	0	2	3
(2)	$x^2+2x=3$	-3	-2	-1	0	1
(3)	$3x^2+2x=x^2+4$	-2	-1	0	$\frac{1}{2}$	1
(4)	$(x+4)(x-1)=0$	-4	-2	-1	0	1
(5)	$4x^2-x=0$	$-\frac{1}{4}$	0	$\frac{1}{8}$	$\frac{1}{4}$	$\frac{1}{2}$
(6)	$x^2-6x=-9$	1	2	3	4	5
(7)	$x^2=0$	-2	-1	0	1	2
(8)	$x^2+9=0$	-6	-3	-1	0	3

2 다음은 **1** 에 대한 친구들의 대화입니다. 친구들의 말의 참, 거짓을 판단하고 그렇게 생각한 이유를 써보자.

(1) **미영** $x^2+9=0$의 해는 -3 또는 3이야. (참, 거짓)

■ 그렇게 생각한 이유:

(2) **선희** $x^2+2x=3$의 해가 1 이외에 더 있는 것 같아. (참, 거짓)

■ 그렇게 생각한 이유:

(3) 이차방정식의 해의 개수는 일차방정식의 해의 개수와 어떻게 다른지 생각을 써보자.

개념과 원리 탐구하기 3

1 **다음을 함께 탐구해 보자.**

(1) 도현이는 합동인 직각이등변삼각형 모양의 블록을 이어 붙여 만든 학교 게시판에 칭찬 편지 포스트잇을 반별로 붙여서 전시하려고 합니다. 도현이와 현숙이의 대화를 읽고 도현이의 마지막 질문에 답해 보자.

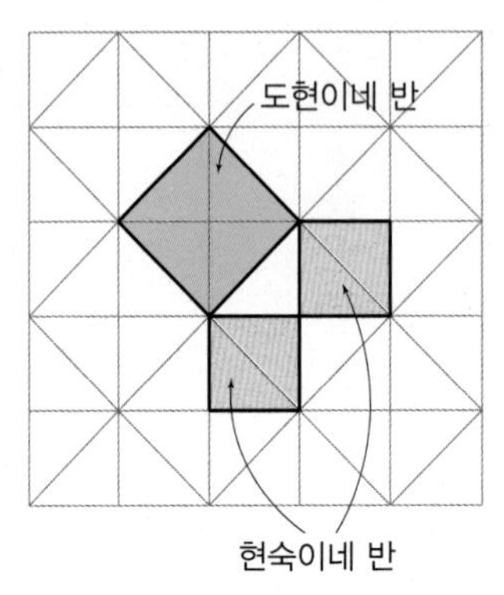

- **도현** : 현숙아, 우리 반과 너희 반의 게시판 넓이가 같은 것 맞지?
- **현숙** : 응, 물론이지.
- **도현** : 그럼, 우리 반 정사각형의 넓이가 20일 때, 우리 반과 너희 반의 정사각형의 한 변의 길이는 각각 어떻게 구하지?

(2) 다음 방정식의 해를 모두 구하고 두 식을 비교하여 차이점을 써보자.

① $x-9=0$	② $x^2-9=0$
[차이점]	

(3) $x^2=k\ (k\geq 0)$와 같은 이차방정식의 해를 제곱근을 이용하여 구해 보자.

2 다음을 함께 탐구해 보자.

(1) 다음 이차방정식의 해를 구해 보자. 식의 형태와 해를 구한 방법을 관찰하여 공통점을 찾아보자.

① $x^2-5=0$	② $9x^2-5=0$
[공통점]	

(2) 두 친구의 대화를 참고하여 이차방정식 $(x-2)^2=5$를 풀고 풀이 과정을 설명해 보자.

- 수기 : 일차항이 없는 이차방정식은 제곱근을 이용해서 풀 수 있잖아. 그런데 일차항이 있을 때는 어떡하지?
- 다혜 : 일차항이 있는 이차방정식도 제곱근을 이용해서 풀 수 있어. 나는 제곱근을 이용해서 이차방정식 $(x-2)^2=5$를 풀었는걸.

(3) 다음 이차방정식을 풀어 보자.

① $(x-1)^2=5$	② $2(x-3)^2=14$	③ $3(x+4)^2-36=0$

탐구 되돌아보기

1 **다음 중에서 이차방정식을 모두 찾고 그 이유를 써보자.**

(1) $x^2-3x=x^2+8$ (2) $x^2=2$ (3) $x(x+2)=x^2$
(4) $x(x-4)=9$ (5) $x(x^2+1)=4x^2+3$ (6) $(x+1)(x+2)=x^2-2$

2 **다음을 함께 탐구해 보자.**

㉠ 어떤 수의 제곱은 12입니다.
㉡ 어떤 수의 제곱에 5를 곱한 후 20을 빼면 0입니다.

(1) 각각의 경우에 대하여 어떤 수를 x로 놓고 방정식을 만들고 이차방정식인지 판단해 보자.

(2) (1)의 방정식에서 x의 값을 구하는 방법을 각각 설명해 보자.

3 다음을 함께 탐구해 보자.

독일의 학자인 프레드릭 빌헬름 오스트발트(Friedrich Wilhelm Ostwald)는 종이의 일부를 잘라내면서 생기는 손실을 최대로 줄일 수 있는 형태와 크기를 발견했는데, 이것은 국제 표준 용지의 시초가 되었습니다.

"큰 종이와 반으로 자른 종이가 서로 닮음인 직사각형이어야 한다."

오른쪽 그림과 같이 큰 규격의 용지 A0을 반으로 자르면 A1, A1을 반으로 자르면 A2, A2를 반으로 자르면 A3, A3을 반으로 자르면 A4 용지를 만들 수 있습니다.

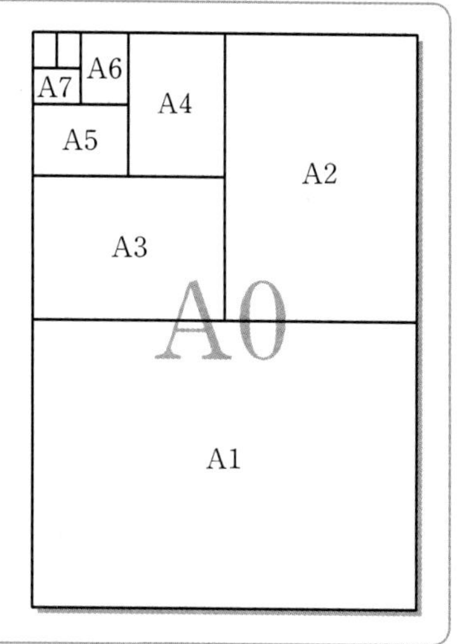

(1) 오른쪽 그림과 같이 A3 용지의 짧은 변과 긴 변의 길이의 비를 $1 : x$라고 할 때, A3과 A4 용지 사이의 관계를 이용하여 x에 대한 방정식을 세워 보자.

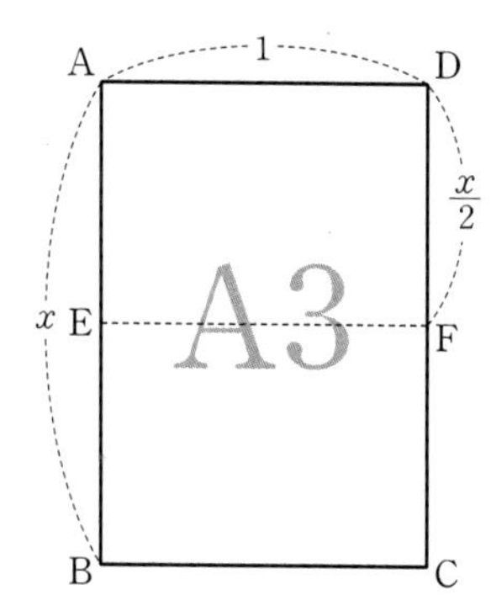

(2) (1)에서 만든 식이 이차방정식인지 확인하고 해를 구해 보자.

(3) (2)에서 구한 해 중에서 문제의 상황에 맞는 답을 구해 보자.

4 지민이는 좌표평면을 이용하여 마을 지도를 그리는 중입니다. 원점 O에 집을 위치시킬 때, 지도에 나타난 정보를 이용하여 다음을 함께 탐구해 보자.

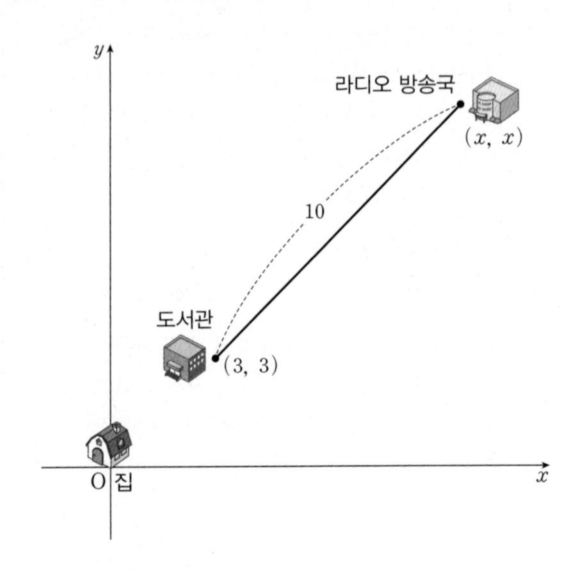

(1) 집과 도서관 사이의 거리를 구해 보자.

(2) 라디오 방송국의 좌표를 구하고 어떻게 구했는지 설명해 보자.

2 이차식의 변신

인수라는 단어에 사용되는 한자 인(因)에는 '원인을 이루는 근본', '인연이 있다'라는 의미가 있습니다. 자연수를 소인수분해하면 그 수의 성질을 보다 잘 이해할 수 있습니다. 이처럼 이차방정식도 두 개 이상의 다항식의 곱으로 나타내어 그 성질을 알아볼 수 있을까요? 1 이외의 자연수를 소인수분해한 결과는 한 가지뿐인데 이차방정식은 어떨까요? 이차방정식을 다양하게 변신시키면서 방정식을 더 쉽게 푸는 방법을 찾아봅시다.

이 단원에서는 이차방정식을 조립하고 분해하는 과정을 탐구하며 이를 이용하여 이차방정식의 해를 구하는 방법을 배우게 됩니다.

/ 1 / 식도 수처럼 분해할 수 있을까

개념과 원리 탐구하기 1

1 나영이는 초등학생인 동생이 '(두 자리 수)×(두 자리 수)'의 계산을 세로셈으로 하는 것을 보고 두 다항식의 곱셈도 아래와 같이 할 수 있다는 아이디어가 떠올랐습니다. 다음을 함께 탐구해 보자.

$$\begin{array}{r} 32 \\ \times \quad 28 \\ \hline 256 \\ 64 \\ \hline 896 \end{array} \qquad \begin{array}{r} 3x-\ 2 \\ \times \qquad 2x+\ 8 \\ \hline 24x-16 \\ 6x^2-\ 4x \\ \hline 6x^2+20x-16 \end{array}$$

(1) 나영이가 두 다항식을 곱한 방법을 설명해 보자. 그리고 두 다항식을 곱하는 방법을 만들어 보자.

나영이가 두 다항식을 곱한 방법	두 다항식을 곱하는 방법

2 1 을 이용하여 다음 식을 세로셈으로 전개해 보자.

[보기]

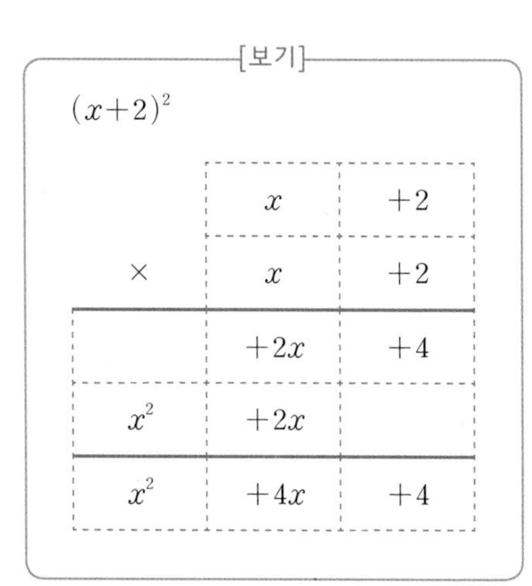

$(x+2)^2$

	x	$+2$
$\times$	x	$+2$
	$+2x$	$+4$
x^2	$+2x$	
x^2	$+4x$	$+4$

(1) $2(x-3)$

(2) $(x-3)^2$

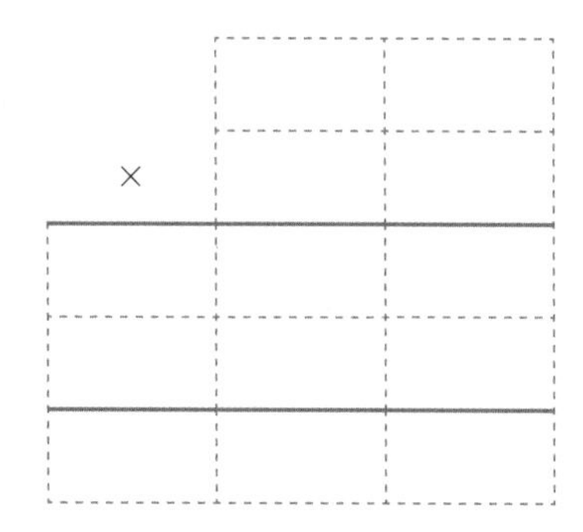

(3) $(x+2)(x-2)$

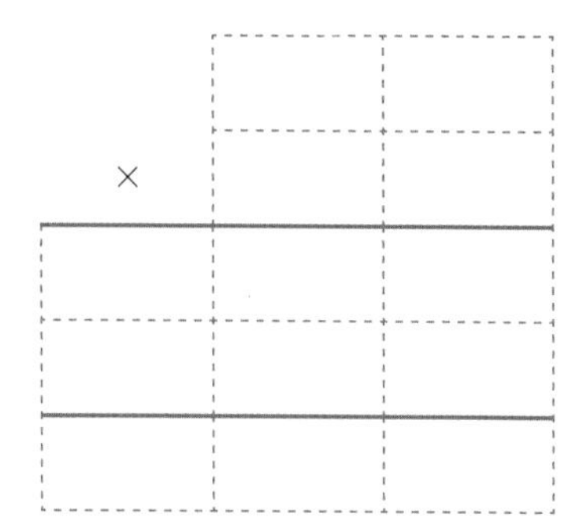

(4) $(x+2)(x-3)$

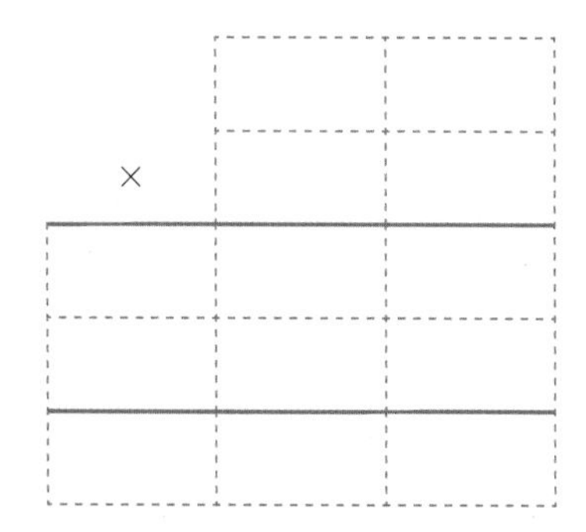

(5) $(2x+3)(3x+4)$

3 다음 식을 세로셈을 이용하여 전개해 보자.

(1) $m(a+b)$

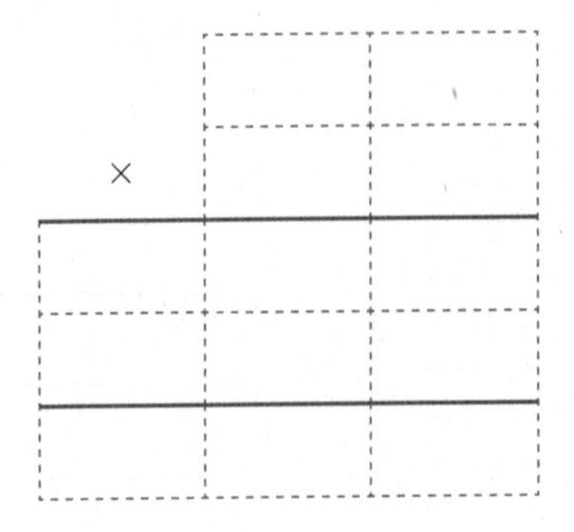

(2) $(a+b)^2$

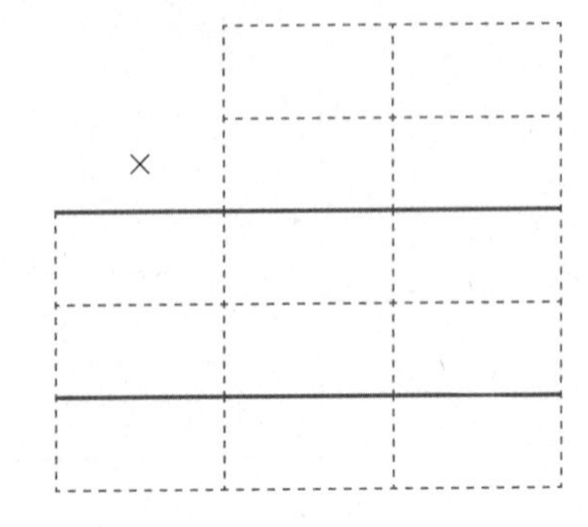

(3) $(a-b)^2$

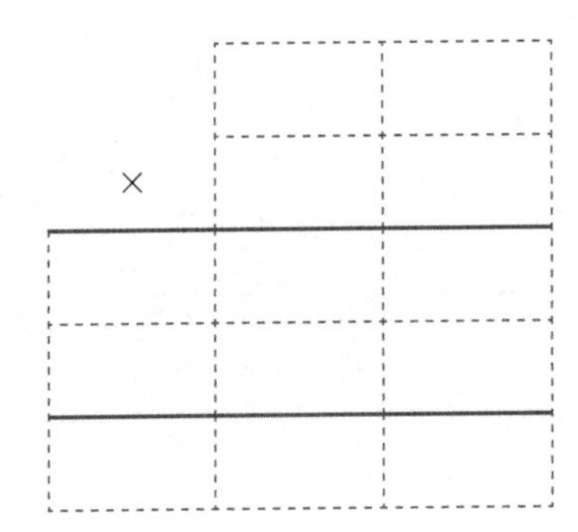

(4) $(a+b)(a-b)$

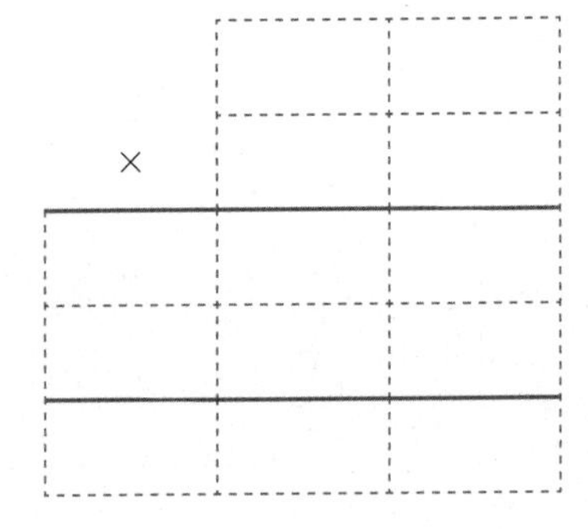

(5) $(x+a)(x+b)$

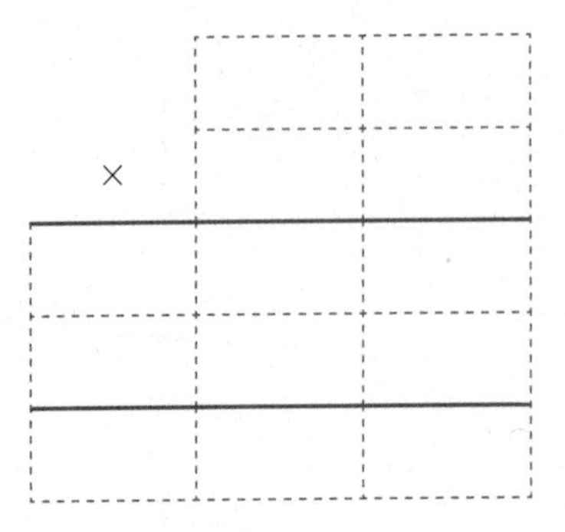

(6) $(ax+b)(cx+d)$

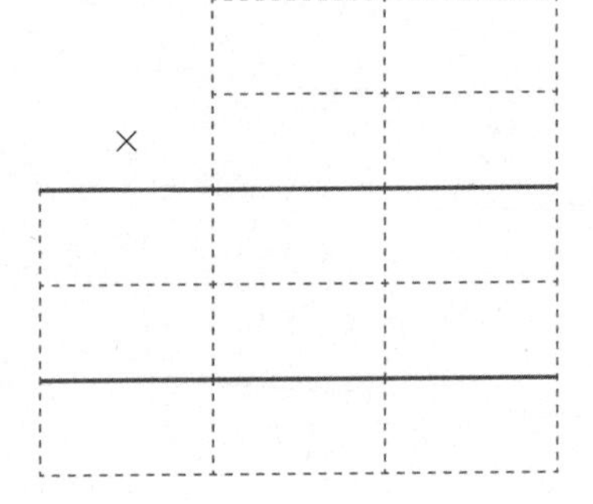

개념과 원리 탐구하기 2

▌준비물 : 〈부록 2〉, 〈부록 3〉, 가위, 풀
149쪽 〈부록 2〉, 151쪽 〈부록 3〉을 오려서 완성하세요.

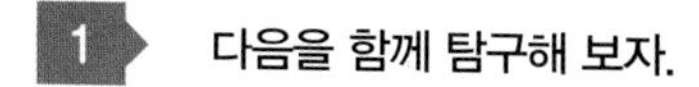

1 다음을 함께 탐구해 보자.

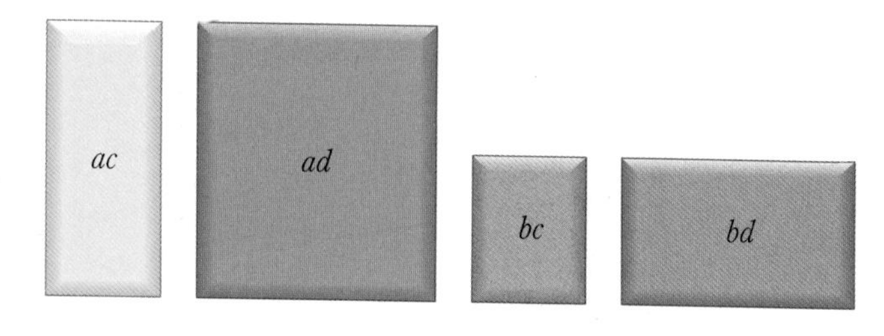

(1) 다음 빈칸에 〈부록 2〉의 조각을 이용하여 넓이가 $ac+ad+bc+bd$인 한 개의 큰 직사각형을 만들어 붙여 보자.

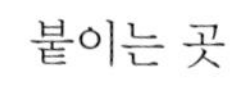

(2) (1)에서 만든 직사각형의 넓이를 2가지 이상의 방법으로 나타내 보자. 넓이를 식으로 나타내는 과정에서 알게 된 것을 써보자.

2 〈부록 3〉을 이용하여 다음을 함께 탐구해 보자.

(1) 주어진 대수막대를 모두 이용하여 하나의 직사각형을 만들고, 직사각형의 넓이를 주어진 식과 다르게 나타내 보자.

x^2 막대	x 막대	1막대
x^2	x	1

① x^2+4x+4

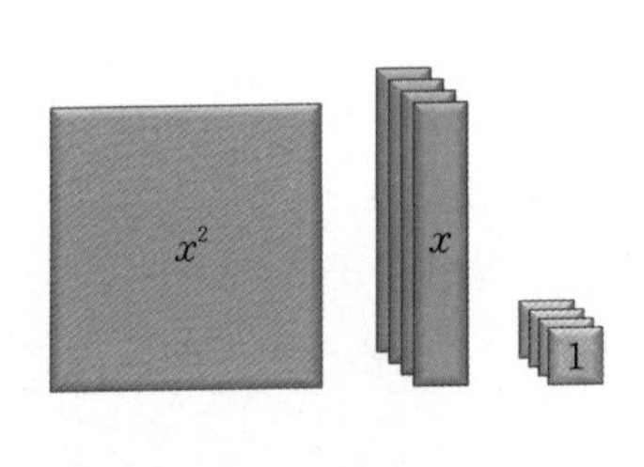

붙이는 곳

② x^2+5x+4

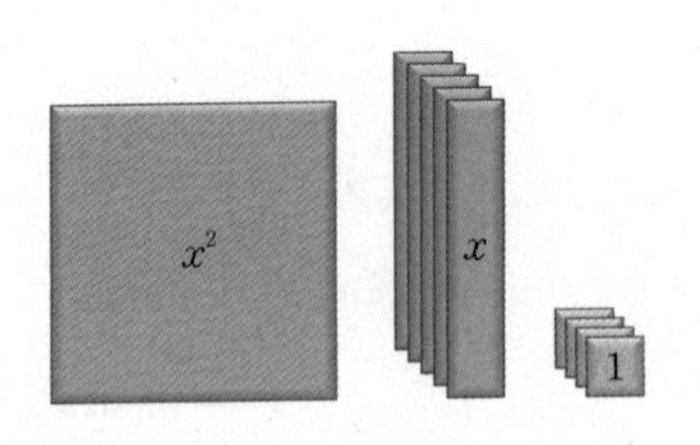

붙이는 곳

③ x^2+6x+8

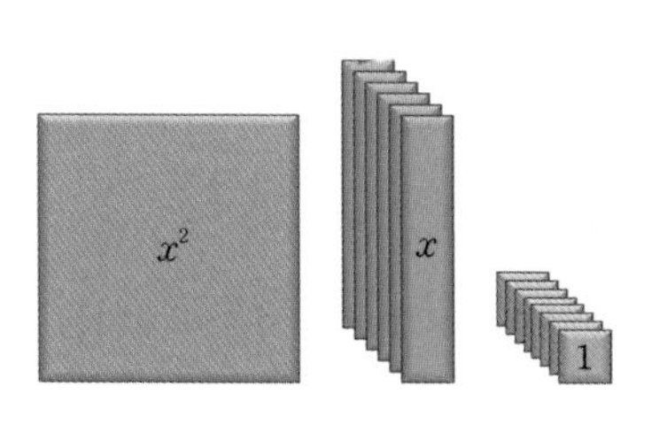

붙이는 곳

④ x^2+6x+9

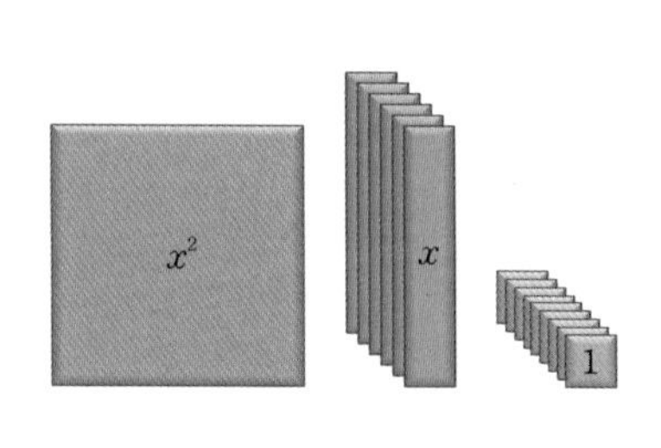

붙이는 곳

(2) 주어진 대수막대를 모두 이용하여 하나의 직사각형을 만드는 방법을 정리해 보자.

하나의 다항식을 두 개 이상의 다항식의 곱으로 나타내는 것을 **인수분해**한다고 합니다. 또, 하나의 다항식을 두 개 이상의 다항식의 곱으로 나타낼 때, 각각의 식을 처음 식의 **인수**라고 합니다.

3 **〈부록 3〉을 이용하여 다음을 함께 탐구해 보자.**

(1) 다음 식을 대수막대를 이용하여 인수분해하고 식을 써보자.

① $2x^2+11x+12$

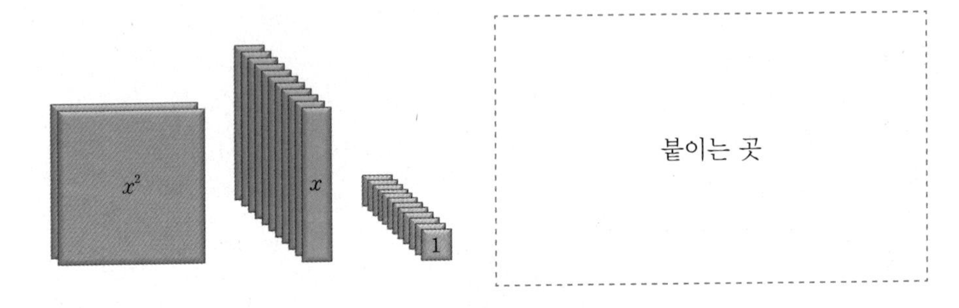

② $6x^2+7x+2$

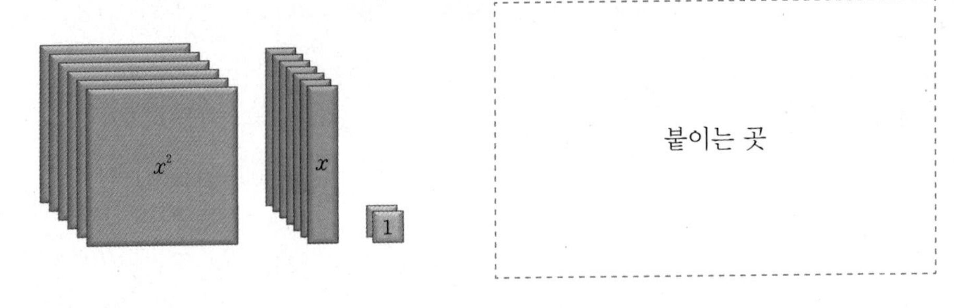

(2) (1)의 결과를 이용하여 인수분해가 가능한 이차식은 어떤 특징이 있는지 써보자.

개념과 원리 탐구하기 3

1 **다음을 함께 탐구해 보자.**

(1) 넓이가 12, ma^2+mab인 직사각형을 모두 그려 보자.

12	ma^2+mab

(2) 넓이가 12, ma^2+mab인 직사각형을 각각 '(가로)×(세로)'의 형태로 표현하고, 친구들의 결과와 비교해 보자.

(3) 12의 소인수분해와 ma^2+mab의 인수분해는 어떤 공통점이 있는지 찾아보자.

2 **오른쪽은 선우, 상진, 나영이가 다항식 $3a^2-6a+9ab$를 인수분해한 결과를 적은 것입니다. 세 친구의 결과가 다르게 나온 이유를 써보자.**

- 선우 : $3a^2-6a+9ab=a(3a-6+9b)$
- 상진 : $3a^2-6a+9ab=3(a^2-2a+3ab)$
- 나영 : $3a^2-6a+9ab=3a(a-2+3b)$

개념과 원리 탐구하기 4

1 다음을 함께 탐구해 보자.

(1) 주어진 다항식이 어떤 두 다항식의 곱인지 **탐구하기 1**의 세로셈 과정을 거꾸로 이용하여 인수분해해 보자. (단, 한 칸에 하나의 항을 적습니다.)

①

	x	$+2$
$\times$		
x^2	$+6x$	$+8$

x^2+6x+8

$=$ ______________

②

$\times$		
x^2		-9

x^2-9

$=$ ______________

③

$\times$		
$8x^2$	$+2x$	-3

$8x^2+2x-3$

$=$ ______________

④

$\times$		
x^2	$+2x$	-3

x^2+2x-3

$=$ ______________

⑤

$\times$		
x^2	$-6x$	$+9$

x^2-6x+9

$=$ ______________

⑥

$\times$		
$4x^2$	$+4x$	-3

$4x^2+4x-3$

$=$ ______________

(2) 혜원이는 $4x^2+4x-3$을 다음과 같이 인수분해하였습니다. 혜원이의 방법과 (1)의 세로셈 방법을 비교하여 인수분해한 과정을 설명해 보자.

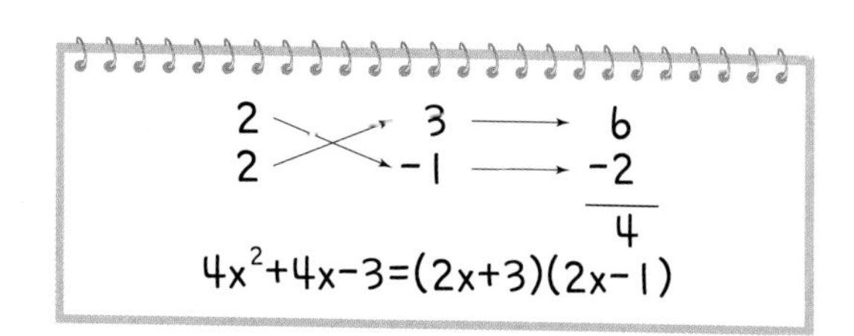

2 다음을 함께 탐구해 보자.

(1) 두 다항식의 곱은 분배법칙을 이용하여 전개할 수 있습니다. 이 중 ①~⑥의 두 다항식의 곱셈 결과는 곱셈 공식이라고 부릅니다. 다음 각각의 다항식의 곱을 분배법칙을 이용하여 전개했을 때 그 결과로 알맞은 식을 찾아 연결해 보자.

	• $a^2-2ab+b^2$
① $m(a+b)$ •	• $ma+mb$
② $(a+b)^2$ •	• a^2-b^2
③ $(a-b)^2$ •	• a^2-ab+b^2
④ $(a+b)(a-b)$ •	• $acx^2+(ad+bc)x+bd$
⑤ $(x+a)(x+b)$ •	• $x^2+abx+ab$
⑥ $(ax+b)(cx+d)$ •	• $a^2+2ab+b^2$
	• $x^2+(a+b)x+ab$

(2) 다음은 두 다항식의 곱셈 결과입니다. 이를 곱셈 공식을 이용하여 인수분해해 보자.

①	$ma+mb$	
②	$a^2+2ab+b^2$	
③	$a^2-2ab+b^2$	
④	a^2-b^2	
⑤	$x^2+(a+b)x+ab$	
⑥	$acx^2+(ad+bc)x+bd$	

(3) (2) ①~⑥의 식을 두 다항식의 곱으로 나타낸 것을 인수분해 공식이라고 부릅니다. 다음 카드 중 2개 또는 3개를 골라 서로 다른 다항식을 만들고 (2)의 인수분해 공식을 이용하여 인수분해해 보자. (단, 카드와 카드 사이는 덧셈으로 생각합니다.)

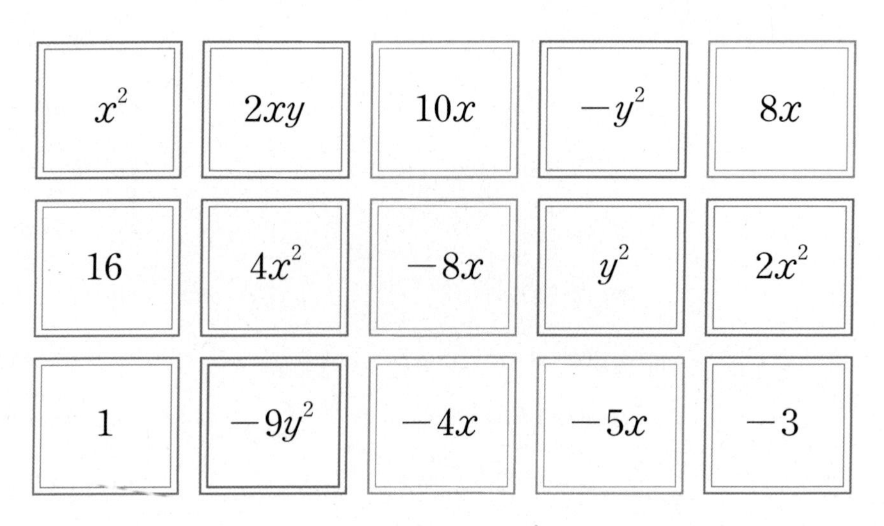

▌준비물 : <부록 4>, 가위
153쪽 <부록 4>를 오려서 이용하세요.

다항식 ①	
다항식 ②	
다항식 ③	
다항식 ④	
다항식 ⑤	
다항식 ⑥	

/ 2 / 분해하면 보이는 근

개념과 원리 탐구하기 5

1 **다음을 함께 탐구해 보자.**

(1) 두 수 또는 두 식 A, B에 대하여 $A\times B=6$, $A\times B=0$이 되는 경우의 예를 찾고 두 경우를 비교해 보자.

식	① $A\times B=6$	② $A\times B=0$
예		
①과 ②의 비교		

(2) 두 수 또는 두 식 A, B에 대하여 곱한 값이 0이 되는 경우를 설명해 보자.

2 **1 을 이용하여 다음 각 방정식의 해를 구해 보자. ①, ② 중 어느 것이 해를 구하기 더 편리했는지 고르고 그 이유를 써보자.**

방정식	① $(x+1)(x-2)=6$	② $(x+1)(x-2)=0$
풀이		
이유		

3 오른쪽은 이차방정식 $(x-1)(x-5)=-3$ 에 대한 슬규의 풀이입니다. 이 풀이가 옳은지 설명해 보자.

> $(x-1)(x-5)=-3$으로 인수분해 되어 있네.
> 해는 $x=1$ 또는 $x=5$가 될 거야.

4 다음 이차방정식을 풀고 그 과정을 써보자.

(1)	$x^2+3x+2=0$	
(2)	$x^2-3x-10=0$	
(3)	$x^2+4x=32$	
(4)	$x^2+2=-2(x-5)$	
(5)	$2x^2+x-1=0$	

개념과 원리 탐구하기 6

1 **다음 대화를 읽고 선생님의 물음에 답해 보자. 이때 해를 어떻게 쓸지 모둠 친구들과 의견을 나누어 보자.**

- 선생님 : 이차방정식 $(x-1)(x-7)=0$의 해를 구해 보세요.
- 진서 : $x-1=0$이 되는 경우, $x-7=0$이 되는 경우를 구하면 될 것 같아.
- 경하 : 그래서 $x=1$이어도 되고 $x=7$이어도 되겠지?
- 진서 : 근데 이상해! $A\times B=0$에서는 A와 B가 동시에 0이 될 수 있는데, $(x-1)(x-7)=0$에서는 x가 1이면서 동시에 7이 될 수는 없잖아?
- 경하 : 내 말은 동시가 아니야. $x=1$ 또는 $x=7$일 때 0이 된다는 뜻이야.
- 선생님 : 그럼, **$(x+a)(x+b)=0$에서 $x+a$와 $x+b$가 동시에 0이 되는 경우는 언제일까요?**

두 근이 중복되어 서로 같을 때, 이 근을 주어진 이차방정식의 **중근**이라고 합니다.

2 유준이는 중근을 갖는 이차방정식들을 찾아보았습니다. 유준이가 찾은 이차방정식의 공통점을 적어 보고 식에서 발견할 수 있는 특징을 구체적으로 설명해 보자.

$x^2+4x+4=0$	$(x-3)^2=0$	$(2x+1)^2=0$
$25x^2-20x+4=0$	$(x-2)^2=0$	$x^2-12x+36=0$

$(x-2)^2$, $(2x+1)^2$, $3(x+1)^2$, ⋯과 같이 어떤 다항식의 제곱으로 된 식 또는 여기에 상수가 곱해진 식을 **완전제곱식**이라고 합니다.

3 다음을 함께 탐구해 보자.

▌151쪽 〈부록 3〉을 이용하세요.

(1) 다음 ①, ②는 어떤 식을 전개한 식인지 그림을 이용하여 구해 보자.

① x^2+2x+1 ____________

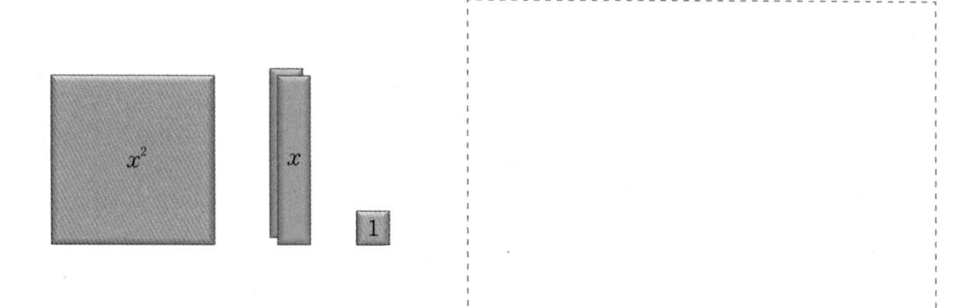

② x^2+4x+4 ____________

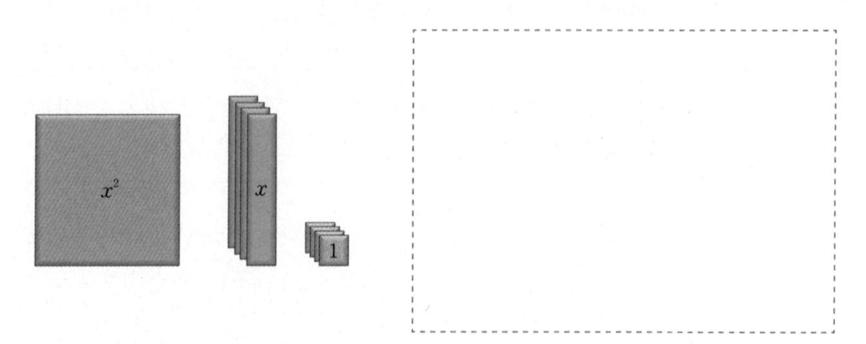

(2) (1) 과정을 관찰하여 완전제곱식의 특징을 2가지 이상 써보자.

나의 생각	모둠의 의견
•	•
•	•

(3) (2)에서 발견한 특징을 이용하여 다음 식이 완전제곱식인지 판단하고 그 이유를 써보자.

	식	완전제곱식 (○/×)	이유
①	x^2+6x+9		
②	x^2-2x+1		
③	$4x^2-12x+9$		
④	x^2+4x-4		

4 다음 이차방정식들이 중근을 갖기 위해서 □ 안에 어떤 수가 필요한지 구해 보고 자신의 답이 맞는지 확인해 보자.

	이차방정식	□ 안에 들어갈 수	확인
(1)	$x^2+6x+\square=0$		
(2)	$x^2-4x+\square=0$		
(3)	$9x^2+12x+\square=0$		
(4)	$4x^2-20x+\square=0$		
(5)	$x^2+\square x+64=0$		
(6)	$16x^2+\square x+49=0$		

게임하며 탐구하기 7

주어진 x에 대한 이차방정식을 풀고 다음 **[규칙]**에 따라 친구들과 빙고 게임을 해 보자.

[규칙]

1 일정 시간 동안 모둠이 힘을 합쳐 주어진 이차방정식의 해를 모두 구합니다.
2 이차방정식의 해를 빙고판에 자유롭게 써넣습니다.
3 모둠별로 돌아가면서 빙고판에 적힌 수를 하나씩 말하고 말한 수가 적힌 칸을 색칠합니다.
4 가로, 세로, 대각선을 포함하여 세 줄을 연결한 모둠은 '빙고!'를 외칩니다.
5 가장 먼저 빙고를 외친 모둠이 승리!

	문제	풀이	해
(1)	$4x^2-20x+25=0$		
(2)	$x^2+36=12x$		
(3)	$(4x-1)(x+3)=2x^2+12x$		
(4)	$12x^2+30x=0$		
(5)	$(x+6)^2=1$		
(6)	$x^2-10x+9=0$		
(7)	$3x(x+3)=2(2x+1)$		
(8)	$x^2-10x=-16$		
(9)	$9x^2-1=0$		
(10)	$4x^2=24x-36$		

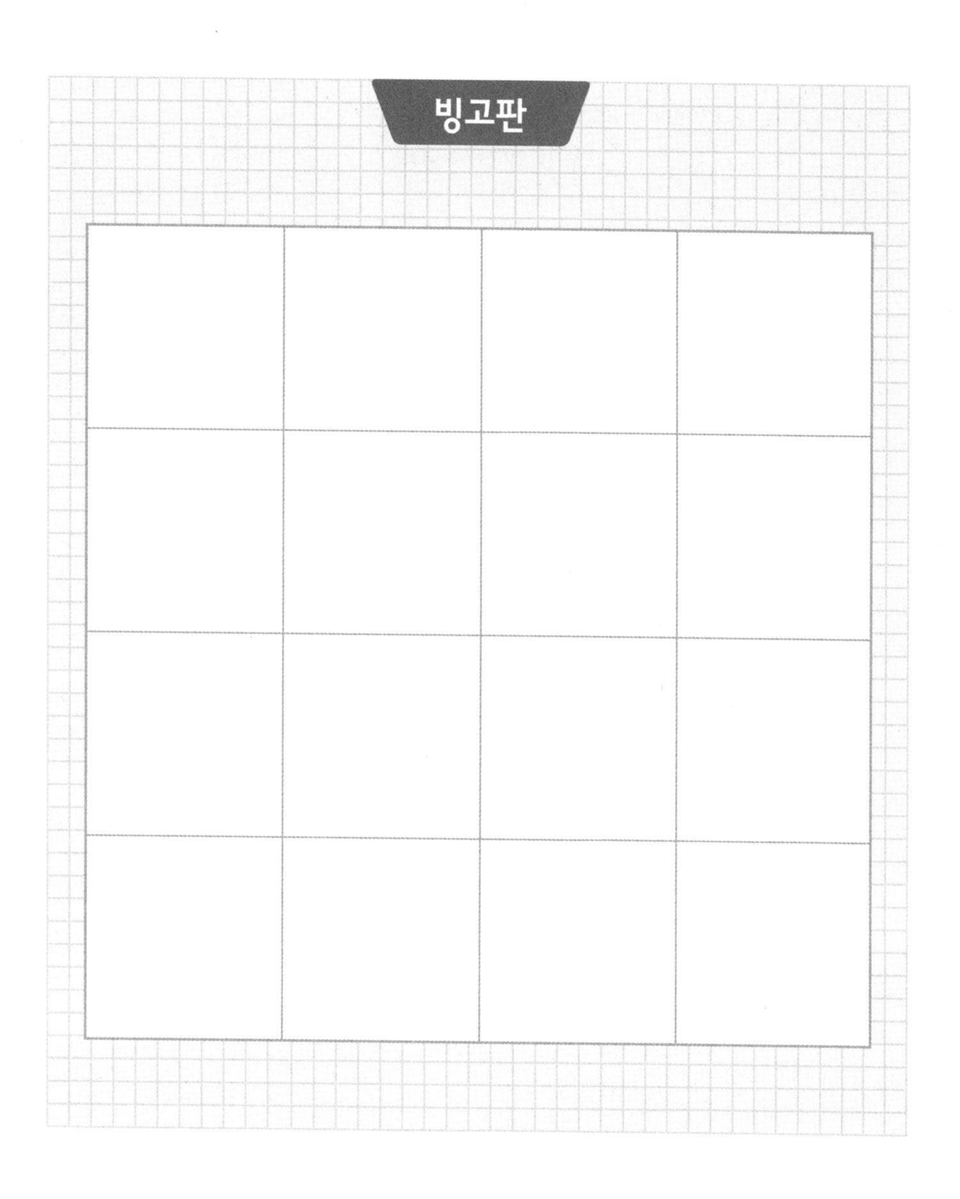
빙고판

탐구 되돌아보기

1 다음 각 다항식을 옳게 인수분해한 식과 선으로 연결해 보자.

(1) x^2-6x+8 •

(2) $9x^2+12x+4$ •

(3) x^2-4x+3 •

(4) $x^2+2x-15$ •

(5) x^2-1 •

• ㉠ $(x-2)(x-4)$

• ㉡ $(x+1)(x+3)$

• ㉢ $(x-3)(x+5)$

• ㉣ $(3x+2)^2$

• ㉤ $(x+1)(x-1)$

• ㉥ $(x-1)(x-3)$

2 다음 □ 안에 알맞은 것을 아래에서 골라서 써보자.

전개　　x^2-x-6의 인수　　인수분해

$$x^2-x-6 \rightleftarrows (x+2)(x-3)$$

3 윤기와 호석이는 다항식 $4x^2+8x-5$를 다음과 같이 인수분해하였습니다. 두 친구의 인수분해 결과를 비교해 보자.

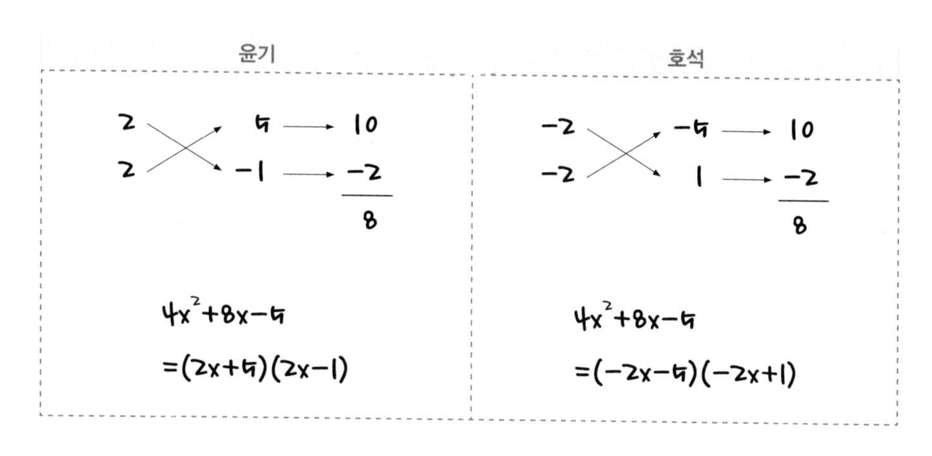

4 태형이는 이차방정식 $x^2+2x=8$을 다음과 같이 풀었습니다. 바르게 풀었는지 확인하고 틀린 곳이 있다면 옳게 고쳐 써보자.

$x^2+2x=8$

$x(x+2)=8$

$x=2$ 또는 $x+2=4$

$x=2$

5 다음을 함께 탐구해 보자.

(1) $8x^2-2x-3$을 인수분해해 보자.

(2) 다음은 두 친구가 $4x^2+4x-3$을 인수분해한 방법입니다. 각각 어떻게 한 것인지 설명해 보자.

①

$4x^2+4x-3$
$=(4x^2+6x)-2x-3$
$=2x(2x+3)-(2x+3)$
$=(2x-1)(2x+3)$

②

$(ax+b)(cx+d)=4x^2+4x-3$

$ac=4$ (2 2), $bd=-3$ (+3 −1), $ad+bc=4$ (2 −1 3 2 → −2 6 → +4)

$ax+b$
$\times\ cx+d$
$adx+bd$
acx^2+bcx
$acx^2+(ad+bc)x+bd$

$a=2,\ b=3,\ c=2,\ d=-1$

$(2x+3)(2x-1)$

6 다음 이차방정식을 풀어 보자.

(1) $(x-1)(x-5)=-3$

(2) $x^2+2=-2(x-5)$

(3) $(2x-3)^2=15-2x$

(4) $x^2-5x=7x-36$

3 언제나 통하는 식

아라비아의 수학자 알콰리즈미(Al-Khwarizmi, 780~846)는 중세 수학에 커다란 영향을 준 산술책과 대수책을 썼습니다. 오늘날 전해 오는 대수책에서는 일차방정식과 이차방정식을 푸는 체계적인 방법을 소개하고 있습니다. 문제를 해결하기 위해 따르는 절차인 알고리즘(Algorithm)은 알콰리즈미의 라티어 이름 'Algoritmi'에서 유래한 것이라고 합니다. 이차방정식의 해를 일정한 절차에 따라 구하면 항상 통하는 풀이 방법이 있을까요? 또 그 방법이 있다면 공식처럼 만들 수 있는지 생각해 봅시다.

이 단원에서는 이차방정식을 푸는 방법을 일반화할 수 있는 절차에 대하여 탐구하고 그 방법을 이용하여 이차방정식을 풀어 봅시다.

/1/ 해를 구하는 식

개념과 원리 탐구하기 1

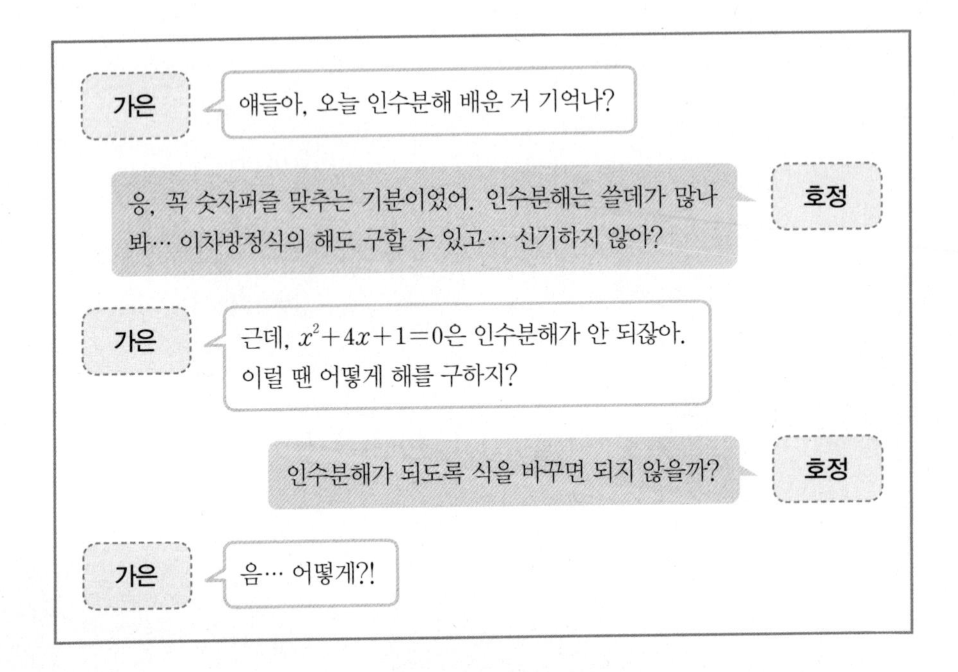

1 가은이와 호정이의 대화를 보고 친구들은 이차방정식 $x^2+4x+1=0$을 다음과 같이 좌변을 인수분해가 되는 식으로 바꾸어서 알려주었습니다.

[식 1]	[식 2]
$x^2+4x+1=0$ $x^2+4x+3=2$	$x^2+4x+1=0$ $x^2+4x+4=3$

(1) 친구들이 어떤 방법으로 식을 변형한 것인지 설명해 보자.

(2) 두 이차방정식의 좌변을 각각 인수분해하고 이차방정식의 해를 구해 보자.

[식 1] $x^2+4x+3=2$	[식 2] $x^2+4x+4=3$

(3) 인수분해가 되지 않는 이차방정식을 어떻게 풀 수 있는지 나의 생각과 모둠의 의견을 써보자.

나의 생각	모둠의 의견

2 다음을 함께 탐구해 보자.

(1) 완전제곱식 $(x+k)^2$을 전개했을 때, x의 계수와 상수항이 k와 어떤 관계가 있는지 살펴보고 설명해 보자.

$(x+2)^2=x^2+4x+4$ $\quad$ $(x-3)^2=x^2-6x+9$

$(x+4)^2=x^2+8x+16$ $\quad$ $(x-5)^2=x^2-10x+25$

(2) 가은이는 인수분해가 되지 않는 이차방정식 $x^2+8x-3=0$을 다음과 같이 변형하였습니다. 가은이의 풀이에서 ①~③의 각 단계를 설명하고 풀이 과정을 완성해 보자.

$$x^2+8x-3=0$$
$$x^2+8x=3 \quad \cdots\cdots ①$$
$$x^2+8x+16=3+16 \quad \cdots\cdots ②$$
$$(x+4)^2=19 \quad \cdots\cdots ③$$

$x=$

[①단계]

[②단계]

[③단계]

3 다음 이차방정식을 풀어 보자.

(1)	$x^2-6x+1=0$	
(2)	$x^2-5x-4=0$	
(3)	$2x^2-8x+4=0$	

개념과 원리 탐구하기 2

1 왼쪽의 풀이 과정을 참고하여 오른쪽 이차방정식 $ax^2+bx+c=0$ (a, b, c는 실수, $a\neq0$)의 해를 구해 보자.

$3x^2+4x-1=0$	$ax^2+bx+c=0$ (a, b, c는 실수, $a\neq0$, $b^2-4ac\geq0$)
x^2의 계수가 1이 되도록 등식의 양변을 3으로 나누면 $x^2+\frac{4}{3}x-\frac{1}{3}=0$ $x^2+\frac{4}{3}x=\frac{1}{3}$ $x^2+\frac{4}{3}x+\left(\frac{2}{3}\right)^2=\frac{1}{3}+\left(\frac{2}{3}\right)^2$ $\left(x+\frac{2}{3}\right)^2=\frac{7}{9}$ $x+\frac{2}{3}=\pm\frac{\sqrt{7}}{3}$ $x=-\frac{2}{3}\pm\frac{\sqrt{7}}{3}$ $x=\frac{-2\pm\sqrt{7}}{3}$	

1 에서 해본 것과 같이 이차방정식 $ax^2+bx+c=0$ (a, b, c는 실수, $a\neq0$)의 근을 세 상수 a, b, c를 이용하여 나타낸 것을 이차방정식의 **'근의 공식'**이라고 합니다.

2 $2x^2+3x-1=0$에서 세 상수 a, b, c의 값을 쓰고, 근의 공식을 이용하여 해를 구해 보자.

개념과 원리 탐구하기 3

1 **다음은 수현이와 은세가 이차방정식 $x^2+6x=16$을 푼 방법입니다.**

(1) 각자의 풀이 방법을 완성해 보자.

〈수현이의 방법〉

나는 먼저 x^2+6x가 되는 직사각형을 만들었어. $x^2+6x=16$이라고 했으니, 이 큰 직사각형의 넓이는 16이야.

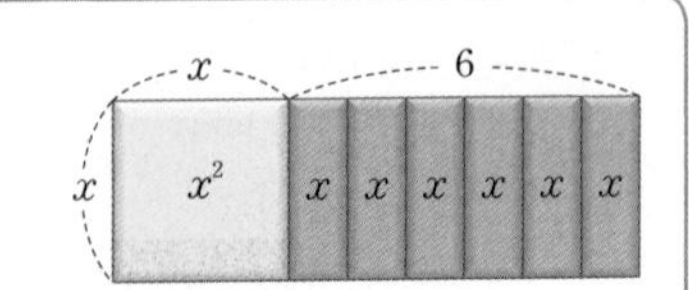

x의 값을 구하기 위해 정사각형으로 만들어야겠어. 분홍 직사각형을 반으로 나누어 붙여 볼게. 모양은 달라져도 전체 넓이는 여전히 16!!

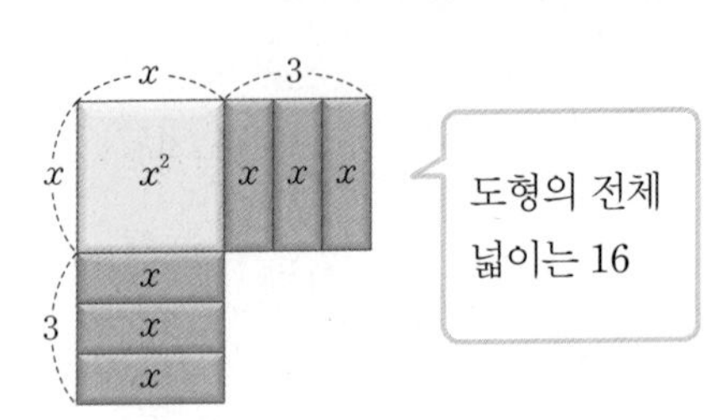

정사각형으로 만들기 위해서 넓이가 9인 정사각형이 필요해. 그러면 전체 넓이는 25가 되겠지?

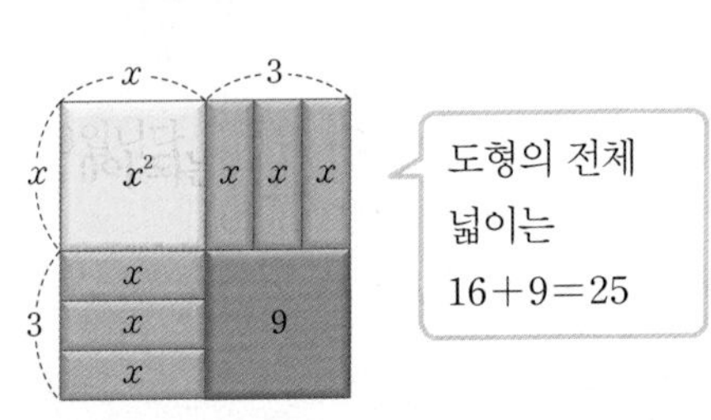

〈은세의 방법〉

$x^2+6x=16$이네. 나는 인수분해를 이용했어.

2 **다음은 태훈이와 소영이가 이차방정식 $x^2-7x+12=0$을 푼 과정입니다. 각각의 풀이를 완성하고, 누구의 방법이 더 편리한지 이야기해 보자.**

태훈이의 방법	소영이의 방법
$x^2-7x+12=0$ $(x-3)(x-4)=0$	$x^2-7x+12=0$ $a=1,\ b=-7,\ c=12$

3 **다음을 함께 탐구해 보자.**

(1) 이차방정식 $(x-2)^2-4=0$을 두 학생이 다음과 같이 풀었습니다. 이 학생들이 어떻게 풀었는지 비교해 보자.

$(x-2)^2-4=0$ $x^2-4x+4-4=0$ $x^2-4x=0$ $x(x-4)=0$ $x=0$ 또는 $x=4$	$(x-2)^2-4=0$ $(x-2)^2=4$ $x-2=\pm 2$ $x=2\pm 2$ $x=4$ 또는 $x=0$

(2) 이차방정식 $(2x-1)^2-5=0$을 풀어 보자. 각자 어떤 방법으로 풀었는지 풀이 방법을 비교하고 가장 효율적인 방법이 어떤 것인지 논의해 보자.

게임하며 탐구하기 4

1 문제의 해에 해당하는 글자를 찾아 빈칸에 쓰고 명언을 완성해 보자.

"사소한 __①__(를)을 __②__할 수 없다면
__③__(는)은 결코 깊어질 수 없다. — __④__"

① 문제	$x^2-3x-2=0$		
해	$x=\frac{-2\pm\sqrt{17}}{2}$	$x=\frac{3\pm\sqrt{17}}{2}$	$x=\frac{3\pm\sqrt{13}}{2}$
글자	실수	잘못	행동

② 문제	$2x^2-8x-3=0$		
해	$x=\frac{4\pm\sqrt{22}}{2}$	$x=\frac{-4\pm\sqrt{22}}{2}$	$x=\frac{4\pm\sqrt{22}}{4}$
글자	용서	이해	포용

③ 문제	$x^2-2x=3(x+1)^2-1$		
해	$x=\frac{-2\pm\sqrt{3}}{2}$	$x=-2\pm\sqrt{3}$	$x=2\pm\sqrt{3}$
글자	사랑	우정	관계

④ 문제	$\frac{1}{2}x^2+\frac{1}{3}x-1=0$		
해	$x=\frac{-1\pm\sqrt{19}}{3}$	$x=\frac{1\pm\sqrt{19}}{3}$	$x=\frac{-1\pm\sqrt{19}}{6}$
글자	파스칼	단테	이순신

탐구 되돌아보기

1. 오른쪽 그림과 같이 큰 직사각형에서 정사각형을 떼어 낸 나머지 직사각형이 처음 직사각형과 닮은 도형이 될 때, 사람들은 이 직사각형이 가장 안정감 있고 아름답게 느껴진다고 합니다. 한편 이것을 황금 사각형이라고 하는데, 두 직사각형은 서로 닮은 도형이므로

$$x : 1 = 1 : x-1$$

이 성립합니다. 이 비례식에 대하여 다음을 함께 탐구해 보자.

x

1

(1) 비례식을 이차방정식으로 나타내 보자.

(2) (1)의 이차방정식을 풀어 보자.

(3) (2)에서 구한 해 중에서 문제의 상황에 맞는 답을 구해 보자.

2 정사각형의 넓이에서 한 변의 길이를 뺀 값이 870일 때, 정사각형의 한 변의 길이를 구하는 식은 $x^2-x=870$입니다. 이 식을 고대 바빌로니아 사람들은 다음과 같이 풀었다고 합니다.

> 1의 반은 0.5이고, 이것을 제곱하면 0.25이다.
> 이것을 870과 더하면 870.25가 되는데, 이것은 29.5의 제곱과 같다.
> 이제 29.5에 0.5를 더하면 30인데 이것이 바로 정사각형의 한 변의 길이이다.

고대 바빌로니아 사람들의 풀이를 식으로 표현하면 $x=0.5+\sqrt{(0.5)^2+870}$입니다. 이 풀이가 옳은지 근의 공식을 이용하여 확인하고 설명해 보자.

3 이차방정식 $2x^2-x-3=0$을 다음 세 친구들은 각자 다른 방법으로 풀려고 합니다. 풀이 과정을 예상하여 써보자.

정국	여진	석진
나는 인수분해를 이용하여 풀거야.	나는 완전제곱식을 이용할꺼야. 먼저 2로 양변을 나누면~	나는 근의 공식을 이용해서 풀어야지.

내가 만드는 수학 이야기

4 다음 용어 중 몇 개를 포함하여 이차방정식의 해를 구하는 방법에 대한 이야기를 만들어 보자.

용어

제곱근, 인수, 인수분해, 완전제곱식,
이차방정식, 중근, 근의 공식

제 목

개념과 원리 연결하기

1 이차방정식 $6x^2+x-12=0$의 해를 구하는 과정입니다. 두 과정을 비교하고 자신의 생각을 써보자.

(1) 이차식을 인수분해하기 위해 다음과 같이 여러 번 시도하여 해를 구합니다.

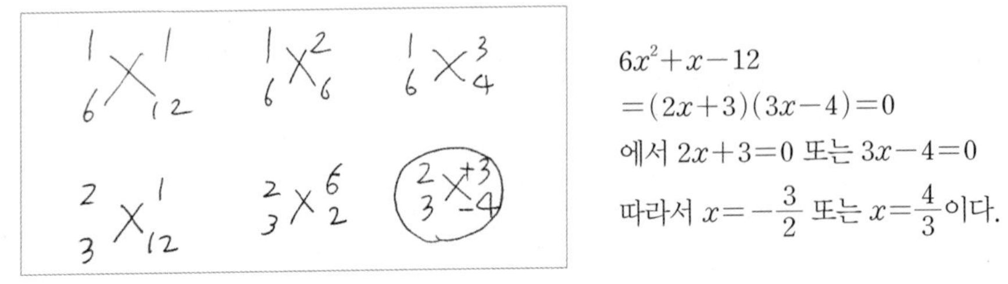

$6x^2+x-12$

$=(2x+3)(3x-4)=0$

에서 $2x+3=0$ 또는 $3x-4=0$

따라서 $x=-\frac{3}{2}$ 또는 $x=\frac{4}{3}$이다.

(2) 근의 공식을 이용하여 해를 구합니다.

$$x=\frac{-1\pm\sqrt{1^2-4\times6\times(-12)}}{2\times6}=\frac{-1\pm\sqrt{289}}{12}=\frac{-1\pm17}{12}$$

따라서 $x=-\frac{3}{2}$ 또는 $x=\frac{4}{3}$이다.

나의 첫 생각

다른 친구들의 생각

정리된 나의 생각

2 이차방정식의 개념을 정리해 보자.

(1) 이 단원에서 알게 된 이차방정식의 뜻, 성질, 법칙을 모두 정리해 보자.

(2) 이차방정식과 연결된 개념을 복습해 보자. 그리고 제시된 개념과 이차방정식 사이의 연결성을 찾아 모둠에서 함께 정리해 보자.

이차방정식과 연결된 개념	각 개념의 뜻과 이차방정식의 연결성
• 일차방정식 • 제곱근 • 곱셈 공식과 인수분해 • 약수와 배수	

Discover the truth : 정상 도착!

수학 학습원리 완성하기

서영이는 88쪽 3 탐구하기 1 1 을 해결하기 위한 자기 사고 과정을 다음과 같은 방법으로 설명했습니다.

내가 선택한 탐구 과제

1 가은이와 호정이의 대화를 보고 친구들은 이차방정식 $x^2+4x+1=0$을 다음과 같이 좌변을 인수분해가 되는 식으로 바꾸어서 알려주었습니다.

(2) 두 이차방정식의 좌변을 각각 인수분해하고 이차방정식의 해를 구해 보자.

[식 1] $x^2+4x+3=2$	[식 2] $x^2+4x+4=3$

(3) 인수분해가 되지 않는 이차방정식을 어떻게 풀 수 있는지 나의 생각과 모둠의 의견을 써보자.

서영이의 깨달음

인수분해가 안되는 이차방정식의 해를 구할 때 나는 무조건 우변을 0으로 만들고 완전제곱식으로 바꾸어야 되는 줄 알았다. 그런데 왜 꼭 완전제곱식으로 바꾸어야 하는지는 생각해 본 적이 없었다.
여기서는 이차방정식에서 인수분해 되는 방정식이 매우 특별한 형태이고, 인수분해가 안되면 앞에서 배운 제곱근의 뜻을 이용할 수밖에 없는데 이렇게 하기 위해서는 완전제곱식으로 바꾸어야 함을 새로 알게 되었다.
특히 완전제곱식으로 바꿀 때 꼭 우변을 0으로 만들지 않아도 된다는 것을 알게 되었다.

수학 학습원리

학습원리 4. 수학적 의사소통 능력 기르기

1 서영이의 설명에서 다른 수학 학습원리를 발견할 수 있는지 찾아보자.

2 서영이가 한 것처럼 이 단원의 다른 탐구 과제를 선택하여 해결하는 사고 과정을 설명해 보고 사용한 수학 학습원리를 찾아보자.

내가 선택한 탐구 과제

나의 깨달음

수학 학습원리

수학 학습원리

1. 끈기 있는 태도와 자신감 기르기
2. 관찰하는 습관을 통해 규칙성 표현하기
3. 수학적 추론을 통해 자신의 생각 정리하기
4. 수학적 의사소통 능력 기르기
5. 여러 가지 수학 개념 연결하기

STAGE 3

비스듬히 던져 보자

1 생활 속의 곡선

/1/ 곡선이 나타내는 식

2 같은 곡선 다른 곡선

/1/ 나도 그래프 전문가

텐트의 넓이와 높이는 어떻게 달라질까?
같은 텐트에 보다 많은 친구들이 들어가려면 텐트의 밑넓이는 넓고 높이가 낮아지고, 친구들이 적으면 밑넓이는 좁고 높이가 높아지지요. 이차함수도 들어가는 수에 따라 그 그래프의 모양이 달라집니다.
이 단원에서는 이차함수와 그 그래프의 모양을 결정하는 원인에 대해 알아봅니다.

1 생활 속의 곡선

농구 선수가 드리블을 하면서 뛰어가다가 골대를 향해 공을 던집니다. 그 공은 매끄러운 곡선을 그리며 날아가다가 골대 속으로 쏙 들어가든지 골대를 맞으면 아깝게 튕겨져 나갑니다. 분수대에서 뿜어져 나온 물줄기도 직선처럼 계속 위로 솟지 않고 자세히 보면 비스듬한 곡선을 그리면서 떨어집니다. 물체를 비스듬히 위쪽으로 던질 때 물체가 움직이면서 그리는 곡선은 어떤 특징이 있을까요? 이렇게 우리 주변에서 흔히 볼 수 있는 비스듬히 던진 물체의 운동은 비슷한 모양의 곡선이 숨어 있다고 합니다. 그렇다면 이 곡선들은 어떤 식으로 표현될까요?

이 단원에서는 비스듬히 던진 물체가 그리는 곡선의 특징을 발견하고 그 특징을 나타내는 함수식을 배우게 됩니다. 그리고 그 함수식을 그래프로 그리는 과정을 탐구하며 함수의 특징을 더 명확하게 알아봅시다.

/1/ 곡선이 나타내는 식

개념과 원리 탐구하기 1

1 **경아는 공원 바닥의 타일 디자인을 살펴보면서 어떤 규칙이 있음을 발견했습니다. 그림의 타일 모양을 보고 다음을 함께 탐구해 보자.**

(1) 타일의 개수가 늘어나는 규칙을 찾고, [그림 4], [그림 5]의 타일은 어떤 모양으로 나타날지 그려 보자.

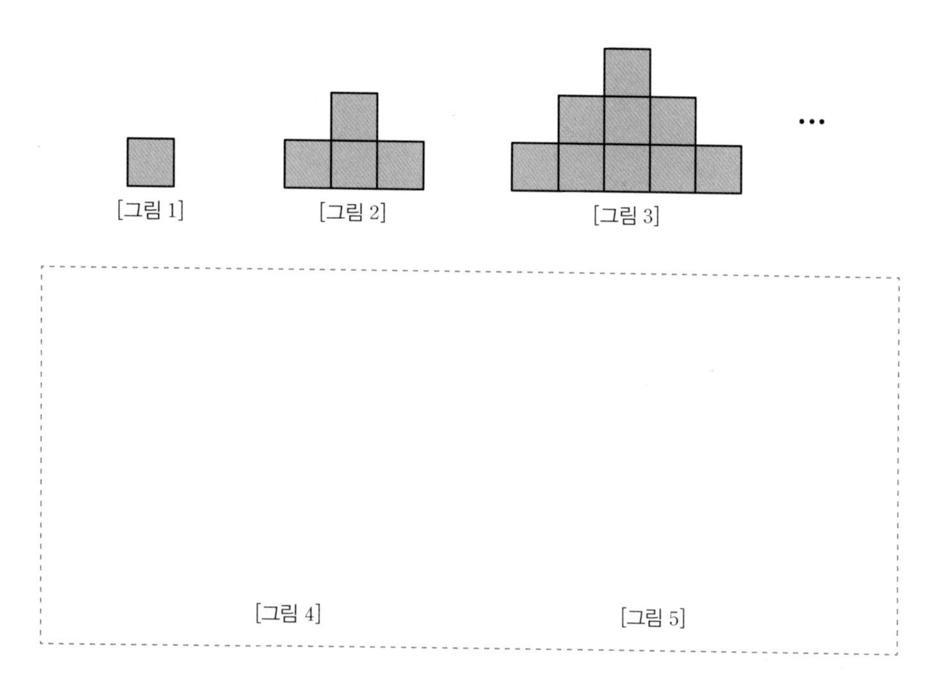

(2) (1)을 참고하여 다음 표를 완성하고 x와 y의 관계식을 찾을 수 있다면 구해 보자.

그림 x	1	2	3	4	5	6	7	8	9	10
타일 y개	1	4								

x와 y의 관계식

2 다음 표에서 규칙성을 찾아 x, y의 관계식을 구하고 **1** 의 표와 비교하여 차이점을 써보자.

x	0	1	2	3	4	5	6	$\cdots$
y	1	3	5	7	9	11	13	$\cdots$

3 **1** 과 **2** 의 표를 그래프로 그려 보자. 그리고 각각의 그래프가 직선인지 아닌지 판단하고 그렇게 생각한 이유를 써보자.

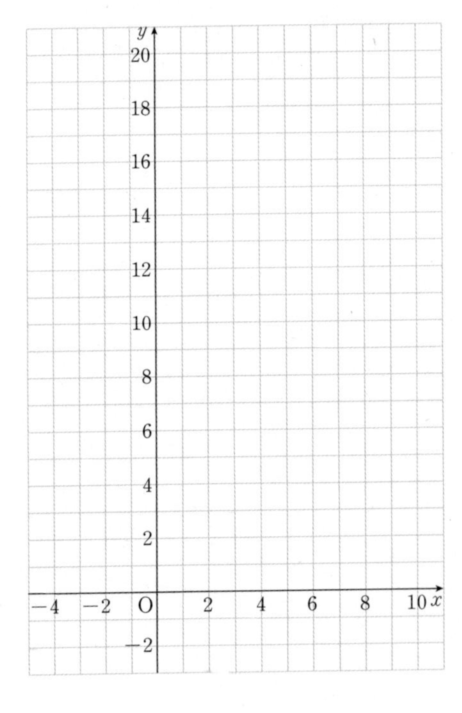

1 은 직선(이다, 아니다).
그렇게 생각한 이유는

2 는 직선(이다, 아니다).
그렇게 생각한 이유는

개념과 원리 탐구하기 2

공원에 있는 숲속도서관 앞에 야생화 꽃밭을 설치한다고 합니다. 꽃밭의 가로의 길이는 x m, 꽃밭의 넓이는 y m^{2}이고, 꽃밭의 둘레의 길이는 16 m입니다.

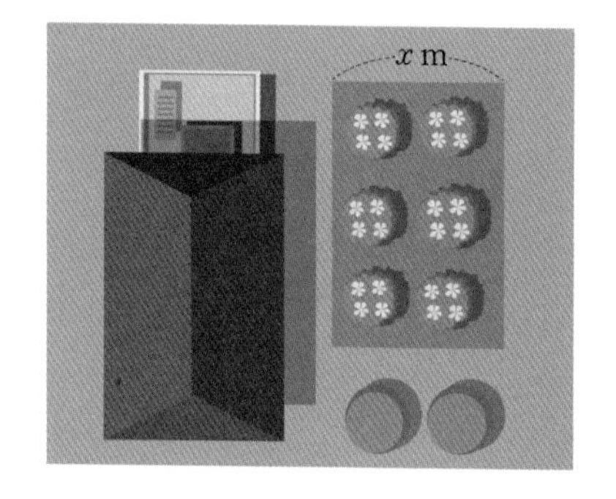

1 꽃밭의 가로의 길이와 넓이의 관계를 표로 나타내고 y를 x에 대한 식으로 나타내 보자.

꽃밭의 가로의 길이(x m)	0	1	2	3	4	5	6	7	8
꽃밭의 넓이(y m^2)									

x와 y의 관계식

2 위 표를 이용하여 그래프를 그려 보자.

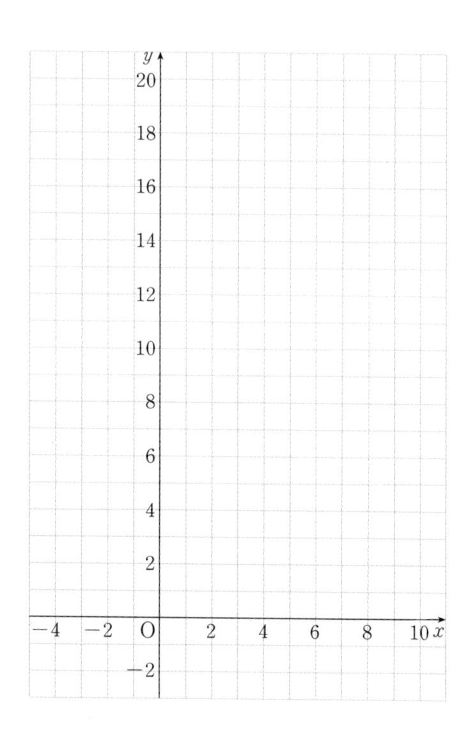

3 다음은 **2** 에서 보현이와 선나가 그린 그래프입니다. 누가 옳게 그렸는지 고르고 그렇게 생각한 이유를 설명해 보자.

(1) 보현이의 그래프

(2) 선나의 그래프

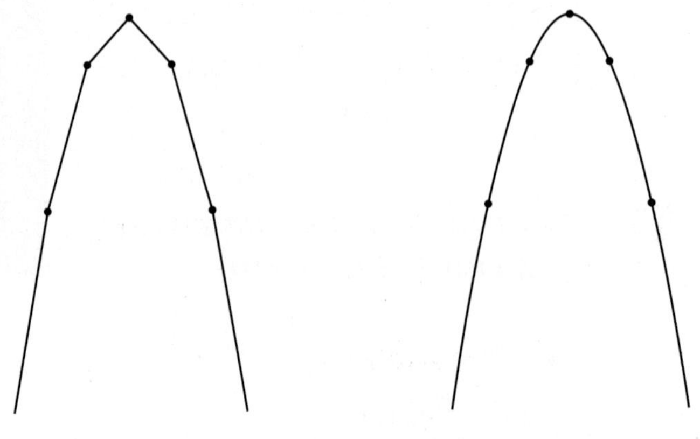

옳게 그린 사람	그렇게 생각한 이유

일반적으로 함수 $y=f(x)$에서

$$y=ax^2+bx+c\ (a\neq 0,\ a,\ b,\ c\text{는 상수})$$

와 같이 y가 x에 대한 이차식으로 나타날 때, 이 함수를 x에 대한 **이차함수**라고 합니다. 물체를 비스듬히 위쪽으로 던질 때 물체가 움직이면서 그리는 곡선을 **포물선**이라고 합니다. 함수의 그래프가 포물선으로 나타날 때, 이 함수가 이차함수임을 알 수 있습니다.

4 스마트폰의 앱을 이용하여 우리 주변에서 포물선으로 나타나는 상황을 찾아 사진을 찍어 보자. 그리고 사진에 나타난 물체의 움직임을 그림으로 그려 보자.

개념과 원리 탐구하기 3_모둠별 선택 과제

155쪽 〈부록 5〉 좌표평면을 이용하세요.

1모둠

1 다음 이차함수에 대하여 표를 완성하고 그래프를 그려 보자.

(1) $y=2x^2-4x+2$

x	-2	-1	0	1	2	3	4
y							

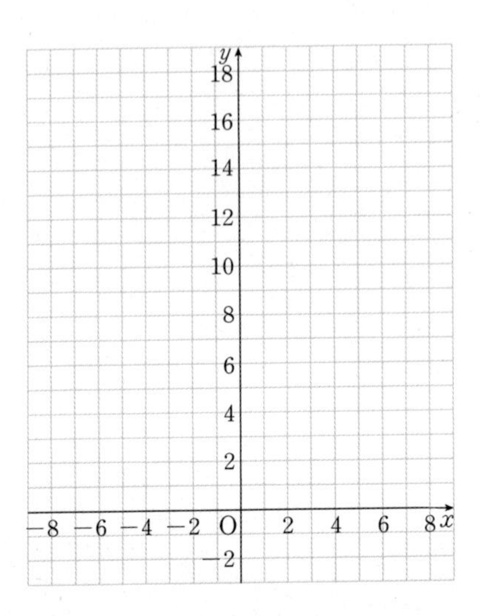

(2) 위 그래프를 친구에게 전화로 설명하여 친구가 그리도록 하려고 합니다. 어떻게 설명할 것인지 정리해 보자. (단, 계수 또는 식을 그대로 설명할 수는 없습니다.)

(3) 다른 모둠의 설명 중 하나를 선택하여 〈부록 5〉에 그래프를 그려 보자.

1 다음 이차함수에 대하여 표를 완성하고 그래프를 그려 보자.

(1) $y=-x^2+4$

x	-4	-3	-2	-1	0	1	2	3	4
y									

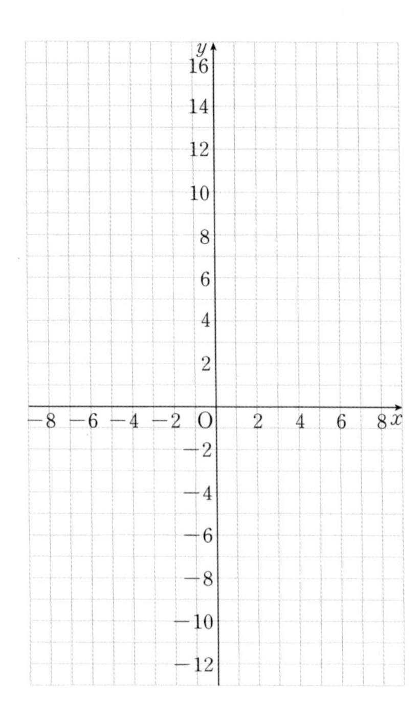

(2) 위 그래프를 친구에게 전화로 설명하여 친구가 그리도록 하려고 합니다. 어떻게 설명할 것인지 정리해 보자. (단, 계수 또는 식을 그대로 설명할 수는 없습니다.)

(3) 다른 모둠의 설명 중 하나를 선택하여 〈부록 5〉에 그래프를 그려 보자.

1 **다음 이차함수에 대하여 표를 완성하고 그래프를 그려 보자.**

(1) $y=x^2+8x+15$

x	-8	-7	-6	-5	-4	-3	-2	-1	0
y									

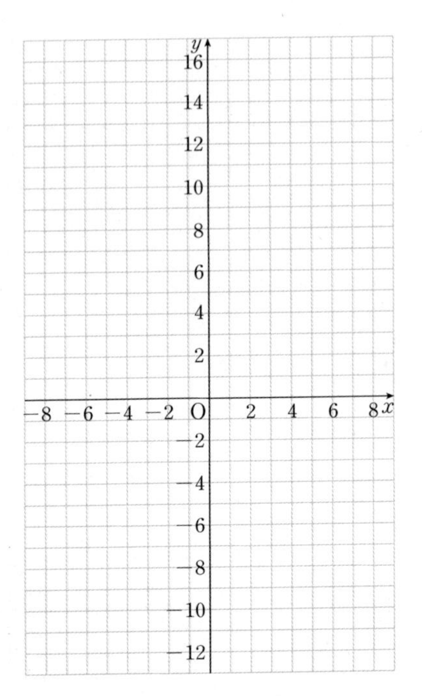

(2) 위 그래프를 친구에게 전화로 설명하여 친구가 그리도록 하려고 합니다. 어떻게 설명할 것인지 정리해 보자. (단, 계수 또는 식을 그대로 설명할 수는 없습니다.)

(3) 다른 모둠의 설명 중 하나를 선택하여 〈부록 5〉에 그래프를 그려 보자.

4모둠

1 다음 이차함수에 대하여 표를 완성하고 그래프를 그려 보자.

(1) $y=-x^2+2x+3$

x	-2	-1	0	1	2	3	4
y							

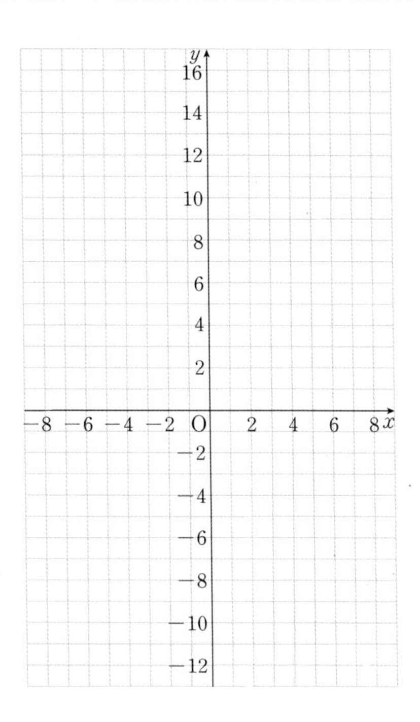

(2) 위 그래프를 친구에게 전화로 설명하여 친구가 그리도록 하려고 합니다. 어떻게 설명할 것인지 정리해 보자. (단, 계수 또는 식을 그대로 설명할 수는 없습니다.)

(3) 다른 모둠의 설명 중 하나를 선택하여 〈부록 5〉에 그래프를 그려 보자.

다음은 포물선과 관련된 용어입니다.

포물선은 선대칭도형이며 그 대칭축을 포물선의 **축**이라 하고 포물선과 축과의 교점을 포물선의 **꼭짓점**이라고 합니다. 그래프가 x축과 만나는 점의 x좌표를 x절편, y축과 만나는 점의 y좌표를 y절편이라고 합니다.

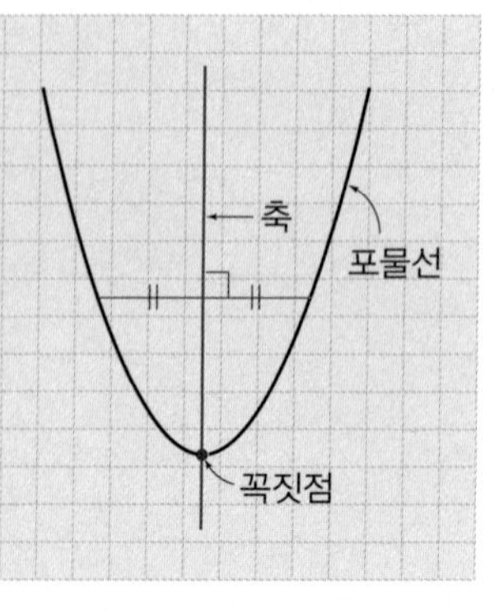

2 **1** (2)에서 그래프를 전화로 설명한 문장을 아래 용어를 사용하여 다시 정리해 보자.

용어

축, 꼭짓점, x절편, y절편, 포물선

1모둠 $y=2x^2-4x+2$	2모둠 $y=-x^2+4$
3모둠 $y=x^2+8x+15$	4모둠 $y=-x^2+2x+3$

개념과 원리 탐구하기 4

1 **이차함수 $y=2x^2-8x$의 그래프에 대하여 다음을 함께 탐구해 보자.**

(1) 이차함수 $y=2x^2-8x$의 그래프의 x절편을 구해 보자.

(2) x절편을 이용하여 그래프를 대략적으로 그려 보자.

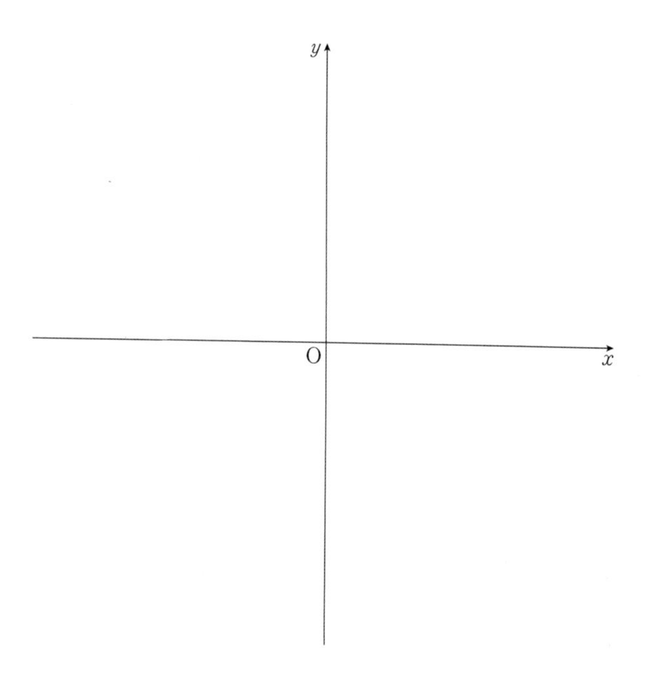

(3) 위 그래프에서 x절편을 이용하여 꼭짓점의 좌표를 구해 보자. 그리고 어떻게 구했는지 설명해 보자.

(4) (3)의 논의를 반영하여 (2)의 그래프를 수정해 보자.

2 **이차함수 $y=2x^2-8x+5$의 그래프를 어떻게 그릴 수 있는지 다음을 함께 탐구해 보자.**

(1) 이차함수 $y=2x^2-8x$에 대하여 아래 표를 채워 보자.

x	…	-1	0	1	2	3	4	5	…
y									

(2) 이차함수 $y=2x^2-8x+5$에 대하여 아래 표를 채워 보자.

x	…	-1	0	1	2	3	4	5	…
y									

(3) (1)과 (2)의 표에 나타난 두 수치를 비교하여 두 이차함수의 그래프의 관계를 설명해 보자. 이를 이용하여 이차함수 $y=2x^2-8x+5$의 그래프를 그리고 그린 방법을 써보자.

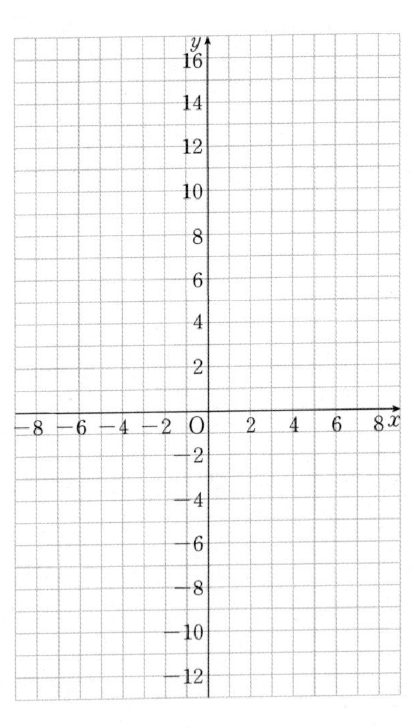

탐구 되돌아보기

1 다음은 y가 x에 대한 이차함수의 예시입니다. 이와 같은 이차함수를 두 개 이상 만들어 보자.

반지름의 길이가 x cm인 원의 넓이를 y cm^{2}라고 할 때, $y=\pi x^2$이다.

2 일차함수는 x의 값의 증가량에 대한 y의 값의 증가량의 크기, 즉 비율이 일정합니다. 이차함수에서도 이 비율이 일정한지 확인해 보고 이를 이용하여 이차함수의 그래프의 모양을 설명해 보자.

3 다음을 함께 탐구해 보자.

(1) 이차함수 $y=x^2-4x-12$의 꼭짓점의 좌표를 x절편을 이용하여 구하고 구하는 방법을 설명해 보자.

(2) 이차함수 $y=x^2-4x-11$의 꼭짓점의 좌표는 (1)의 방법으로 구할 수 있는지 확인하고, 이 함수의 꼭짓점의 좌표를 구하는 방법을 설명해 보자.

4 다음 이차함수의 식과 그래프를 연결하고 그 이유를 설명해 보자.

㉠ $y=2x^2+4x+4$
㉡ $y=(x-2)^2$
㉢ $y=-x^2-4x-3$
㉣ $y=x^2-8x+15$
㉤ $y=-3(x-3)(x-5)$

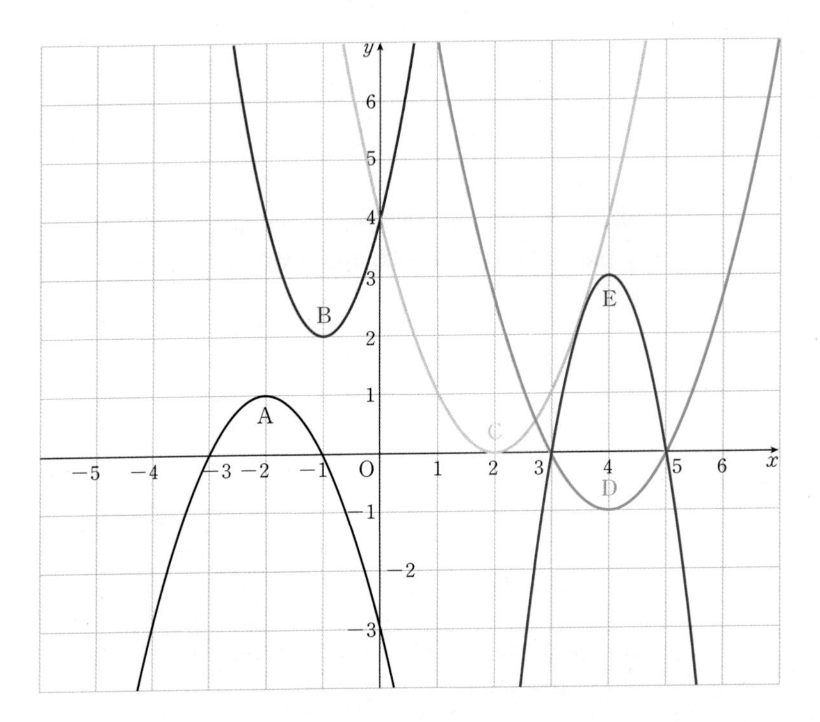

5 다음은 학생들과 선생님의 대화입니다. 선생님의 질문 (1)~(3)에 답해 보자.

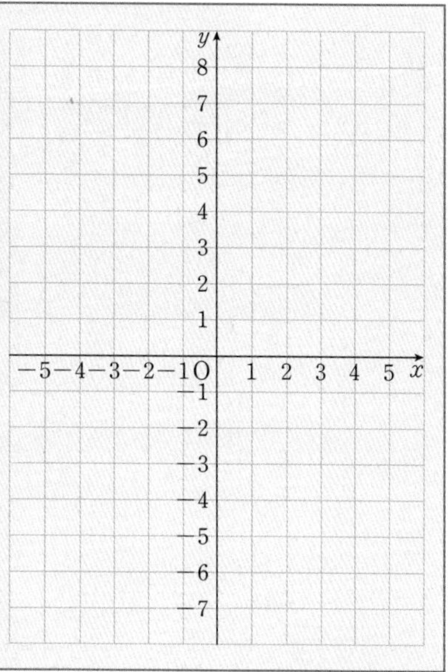

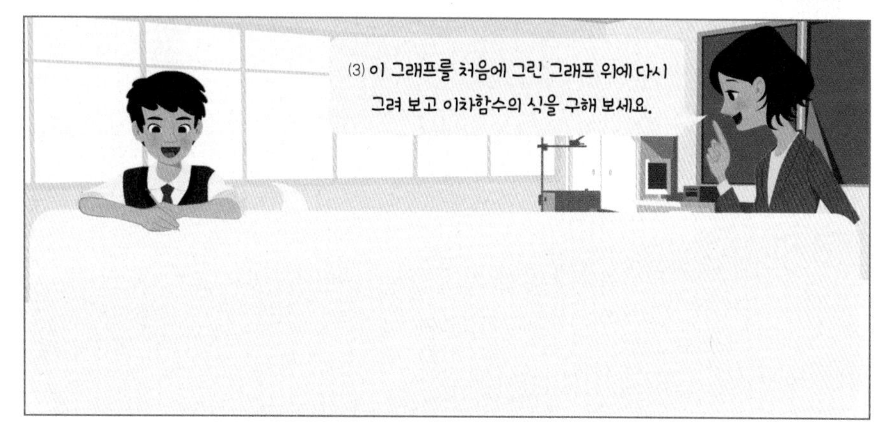

2 같은 곡선 다른 곡선

우리가 어떤 물체를 비스듬히 던졌을 때 물체가 움직이는 모양은 모두 포물선입니다. 농구 선수가 던진 공의 움직임, 분수대에서 뿜어져 나온 물줄기, 밤하늘을 아름답게 수놓는 불꽃이 움직이는 모양도 모두 포물선입니다.

위로 던진 물체는 계속 올라가지 않고 지구의 중력 때문에 아래로 떨어지는데 이때 물체의 높이를 구하는 식을 뉴턴이 발견하였습니다. 갈릴레이는 다양한 물체를 이용한 낙하 실험을 통하여 물체의 낙하 거리는 시간의 제곱에 비례한다는 사실을 발견했습니다. 뉴턴과 갈릴레이가 구한 식을 그래프로 나타내면 같은 곡선일까요? 다른 곡선일까요? 이 두 곡선의 공통점과 차이점은 무엇일까요?

이 단원에서는 이차함수의 그래프의 여러 가지 성질을 더 깊이 탐구해 봅시다. 그리고 이차함수의 그래프의 특징을 표현하는 수학적 용어를 배우고 이를 이용하여 그래프의 모양에 영향을 주는 요소들은 어떤 것들이 있는지 탐구해 봅시다.

/1/ 나도 그래프 전문가

개념과 원리 탐구하기 1

1 **이차함수의 식을 관찰하여 그래프의 모양을 추측해 보려고 합니다. 다음을 함께 탐구해 보자.**

(1) 다음 함수식에서 y의 값의 특징을 써보자.

① $y=x^2$ ② $y=(x-3)^2$ ③ $y=-2x^2$ ④ $y=-5(x+1)^2$

(2) 앞에서 포물선의 모양이 ∪ 꼴이면 아래로 볼록, ∩ 꼴이면 위로 볼록하다고 합니다. (1)을 참고하여 이차함수의 그래프가 아래로 볼록, 위로 볼록한 경우로 분류할 수 있는 기준을 정하고 설명해 보자.

(3) 함수식 $y=ax^2$, $y=a(x-p)^2$에서 a의 값은 무엇을 알려주는지 생각하고 그렇게 생각한 이유를 설명해 보자.

나의 생각	모둠의 의견

2 다음을 함께 탐구해 보자.

(1) 그래프의 폭이 넓은 것부터 순서대로 쓰고 그렇게 생각한 이유를 써보자.

① $y=2x^2$ ② $y=-2x^2$ ③ $y=2x^2-12x+14$ ④ $y=-2x^2-12x-14$

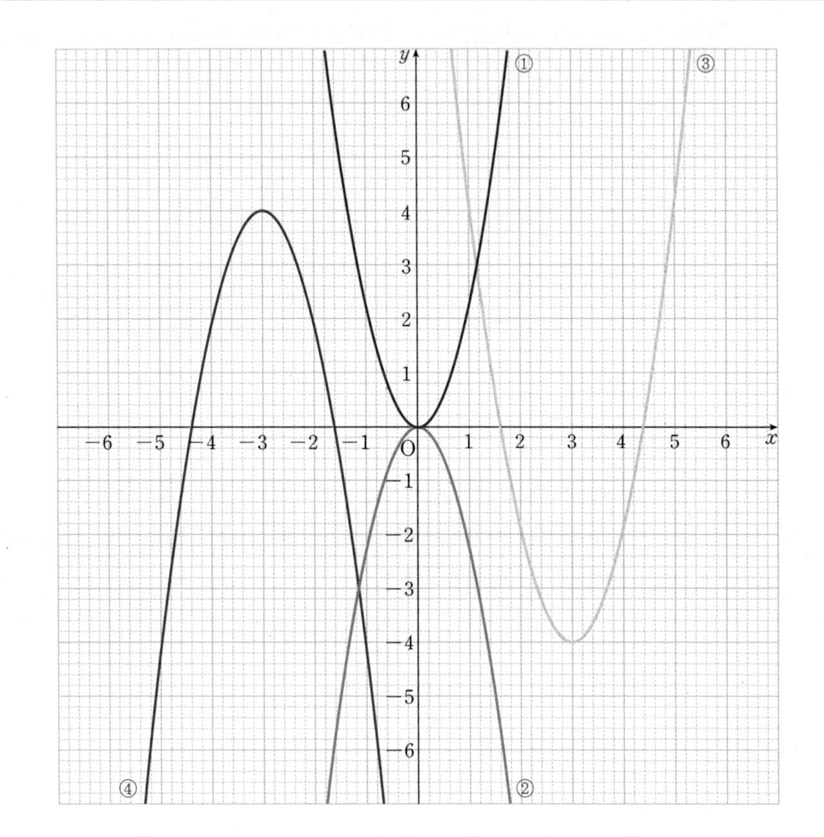

(2) 선재는 (1)에서 폭을 비교하기 위해 아래와 같은 표를 이용했습니다. 선재가 어떻게 설명했을지 추측해 보자.

① $y=2x^2$

x	…	-3	-2	-1	0	1	2	3	…
y	…	18	8	2	0	2	8	18	…

② $y=-2x^2$

x	…	-3	-2	-1	0	1	2	3	…
y	…	-18	-8	-2	0	-2	-8	-18	…

③ $y=2x^2-12x+14$

x	…	0	1	2	3	4	5	6	…
y	…	14	4	-2	-4	-2	4	14	…

④ $y=-2x^2-12x-14$

x	…	-6	-5	-4	-3	-2	-1	0	…
y	…	-14	-4	2	4	2	-4	-14	…

3 1 과 2 를 바탕으로 이차함수 $y=ax^2+bx+c$의 그래프에서 a의 값이 그래프에 어떤 영향을 주는지 추측하고 그렇게 생각한 이유를 써보자.

개념과 원리 탐구하기 2

1 해빈이와 연우는 카드에 적힌 이차함수의 식을 보고 그래프의 특징에 대하여 이야기를 나누고 있습니다.

(1) 연우가 뽑은 카드에 있는 이차함수는 다음 네 가지 중 어떤 것일지 그래프를 각각 그려서 찾아보자.

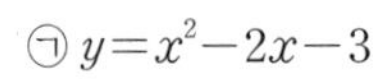

㉠ $y=x^2-2x-3$

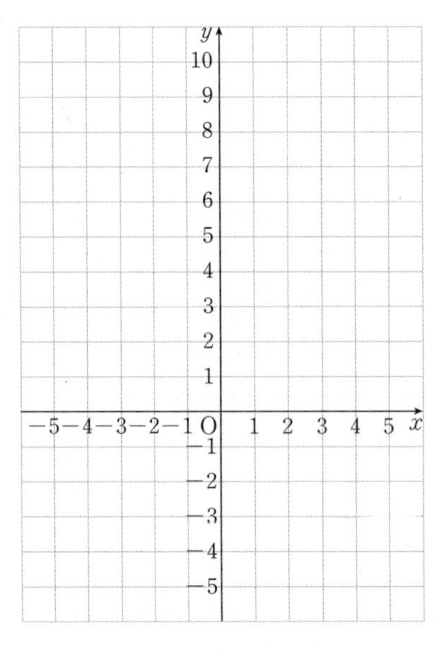

㉡ $y=x^2-4x+4$

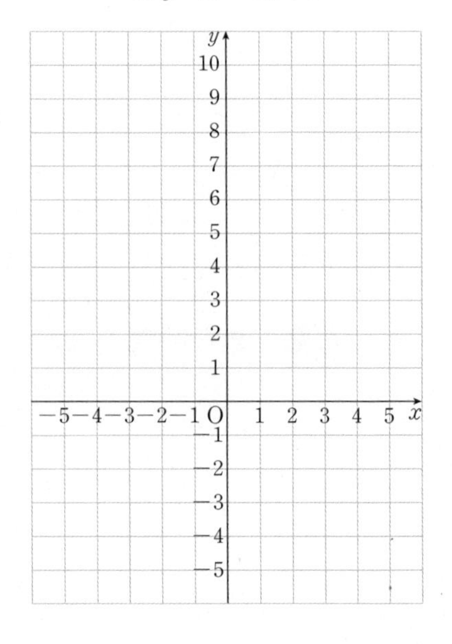

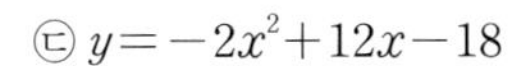
㉢ $y=-2x^2+12x-18$

㉣ $y=-x^2-2x+8$

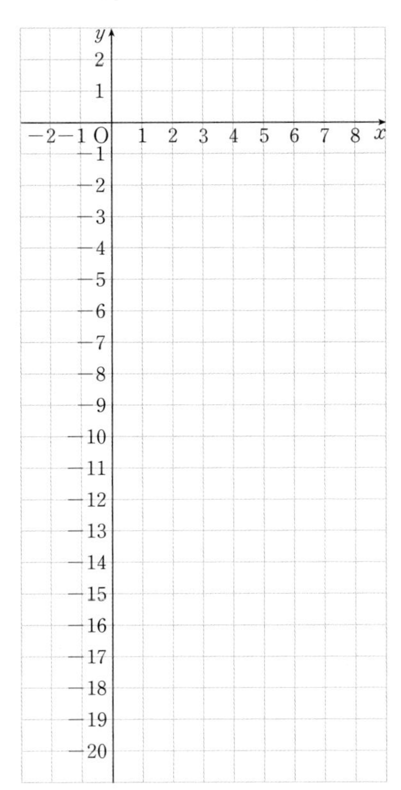

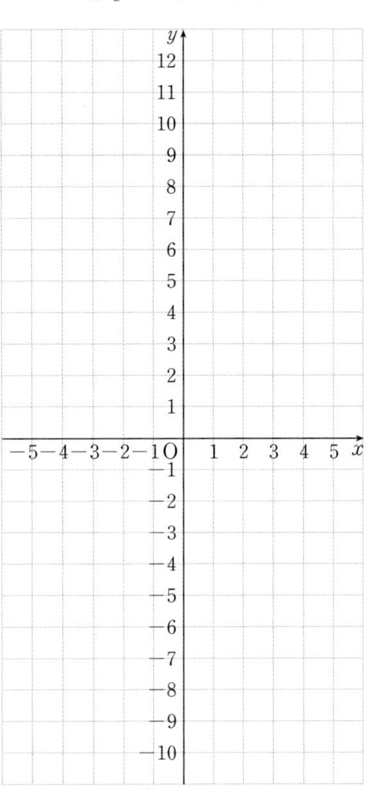

(2) 연우가 뽑은 카드에 적힌 이차함수의 특징을 설명해 보자.

(3) (2)를 이용하여 연우가 뽑은 카드에 적힌 이차함수처럼 x절편이 한 개일 때, 축은 어떻게 구할 수 있을지 설명해 보자.

2 **연우가 뽑은 카드의 그래프는 어떤 그래프를 어떻게 평행이동하면 그릴 수 있을지 설명해 보자.**

개념과 원리 탐구하기 3

1 수현이는 $y=-2(x+2)^2$과 같이 우변이 완전제곱식 꼴인 이차함수의 그래프를 그리려고 합니다. 어떻게 그릴 수 있을지 방법을 써보고 직접 그려 보자.

그리는 방법

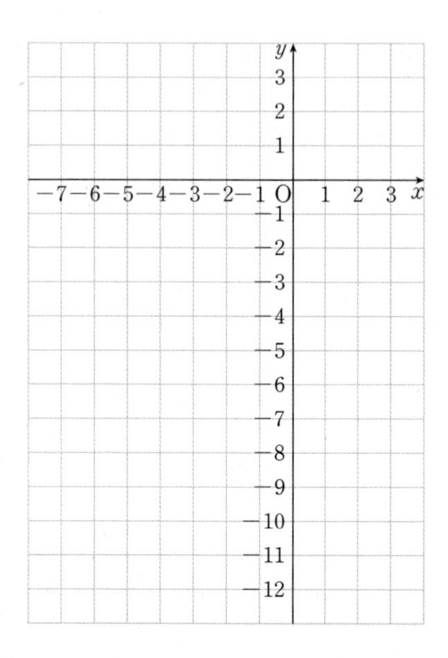

2 혜수는 수현이가 **1** 의 함수의 그래프를 그린 설명을 듣고 $y=3(x-2)^2+1$의 그래프를 그리려고 합니다. 어떻게 그래프를 그릴 수 있을지 방법을 써보고 직접 그려 보자.

그리는 방법

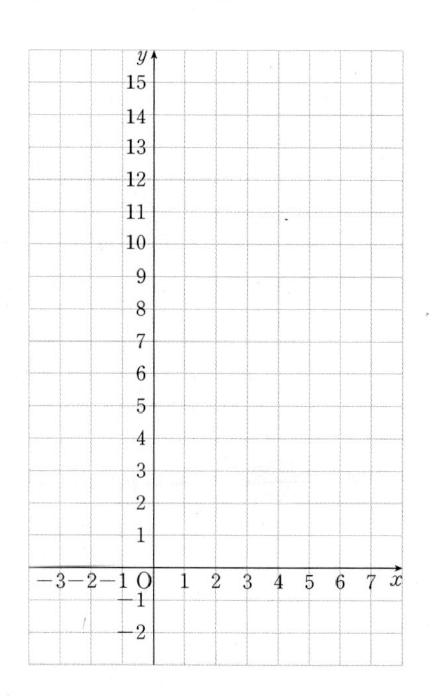

3 다음 이차함수의 그래프의 모양을 예상하며 그려 보고 공학적 도구를 이용해 확인해 보자.

(1) $y=3(x-1)^2+4$

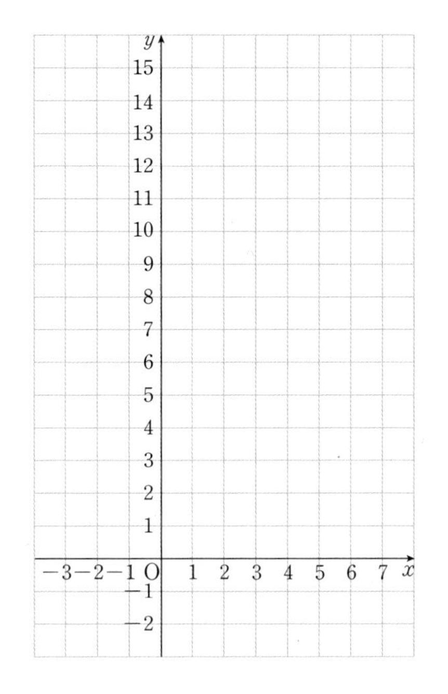

(2) $y=2\left(x+\frac{3}{2}\right)^2-5$

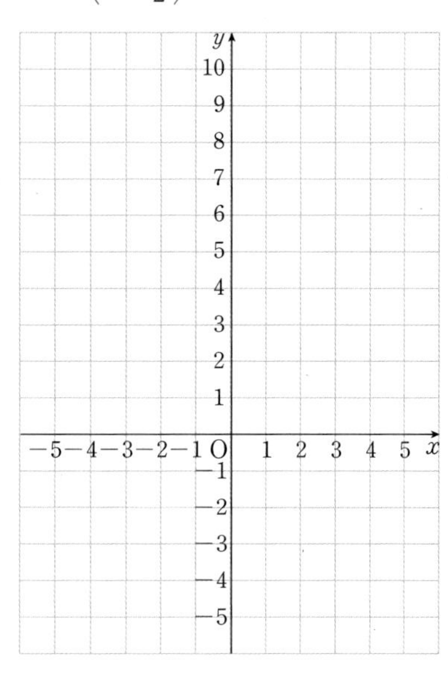

(3) $y=-(x-3)^2+2$

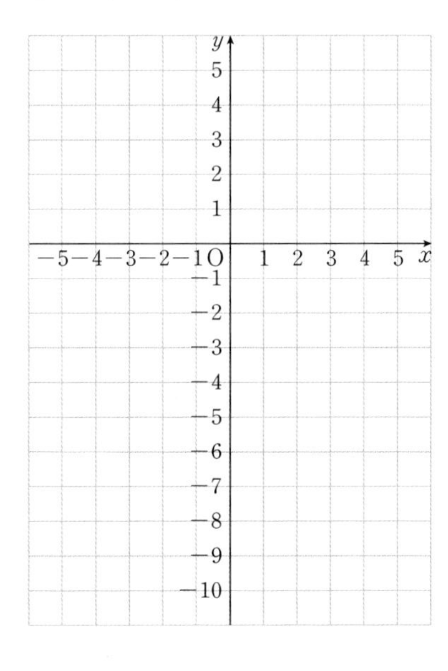

(4) $y=-\frac{1}{2}(x+1)^2+3$

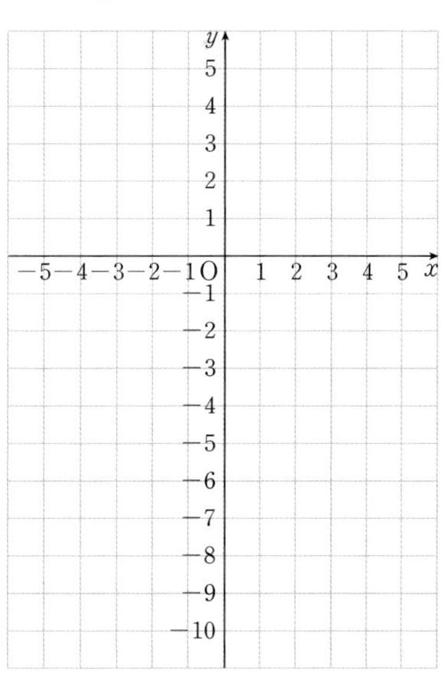

4 이차함수 $y=a(x-p)^2+q$의 그래프는 어떤 특징을 갖는지 모둠에서 정리하고 써보자.

개념과 원리 탐구하기 4

1 진영이와 찬주는 각자의 방법으로 이차함수 $y=2x^2-12x+15$의 그래프를 그리고 꼭짓점의 좌표를 찾고 있습니다. 두 사람의 풀이 방법을 마무리하여 꼭짓점의 좌표를 찾고 그래프를 그려 보자.

진영이의 방법	찬주의 방법
$y=2x^2-12x+15$의 우변을 완전제곱식으로 고치면 $y=2(x^2-6x+9-9)+15$ 그래서 꼭짓점의 좌표는 (　　,　　)(이)야.	$y=2x^2-12x=2x(x-6)$이니까 $y=2x^2-12x+15$ $=2x(x-6)+15$야. 그래서 꼭짓점의 좌표는 (　　,　　)(이)야.

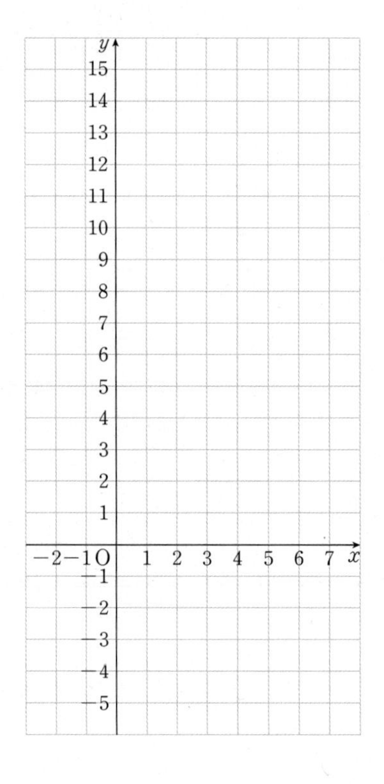

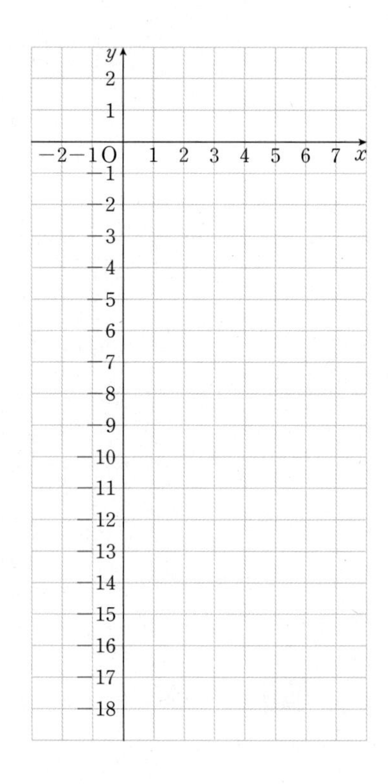

2 **다음을 함께 탐구해 보자.**

(1) 두 사람이 푼 방법의 특징을 써보자.

(2) 진영이와 찬주의 두 방법 중 어떤 방법이 더 편하다고 생각하나요? 그 이유는 무엇인지 말해 보자.

3 **다음을 함께 탐구해 보자.**

(1) 이차함수 $y=-x^2+4x-1$의 그래프의 꼭짓점의 좌표를 구해 보자.

(2) (1)을 이용해 이차함수 $y=-x^2+4x-1$의 그래프를 그리고 그렇게 그린 이유를 써보자.

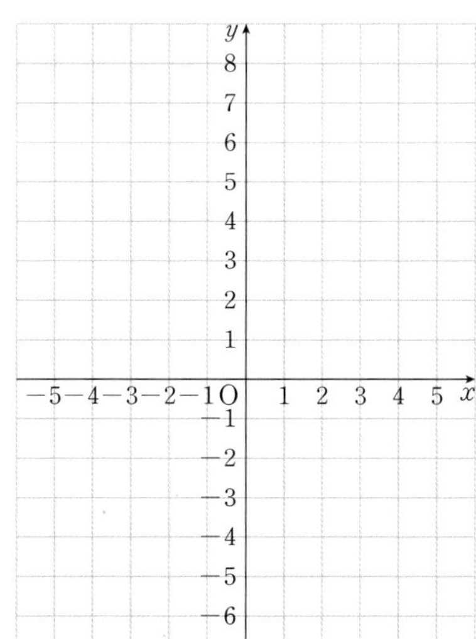

게임하며 탐구하기 5

▌준비물 : 가위
157쪽 〈부록 6〉 도미노카드 1, 2를 이용하세요.

규칙

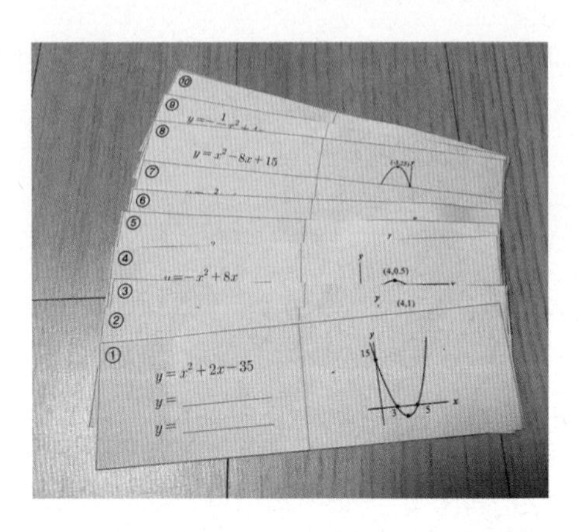

1. 모둠원과 함께 그래프와 함수식이 같은 것을 찾아내어 도미노 카드를 연결시켜 책상에 나열합니다. 즉, 함수식과 그래프가 같다면 위, 아래, 양 옆에 도미노를 붙일 수 있습니다.

2. 도미노가 어떻게 연결을 이루는지 모둠원이 이해한 후 다음 모둠을 방문합니다.

3. 설명할 모둠원을 1명 남기고 다른 모둠을 방문해야 합니다.
   - 책상에 머물고 있는 경우
     도미노 짝을 연결지은 이유를 설명할 준비를 합니다.
   - 다른 모둠을 방문하는 경우
     - 활동지에 도미노 카드 연결 모형을 그립니다.
     - 다른 모둠의 책상으로 가서 연결 모형에 차이가 있는지 확인합니다.
     - 차이점이 있을 경우 설명을 요청합니다. 그래도 의아해 하면 자신의 생각을 설명합니다.
     - 자신의 모둠으로 돌아가면서 차이점을 변경할지의 여부를 고려합니다.

도미노 카드 1

①

$y=-x^2-6x+16$

$y=-(x+8)(x-2)$

$y=-(x+3)^2+25$

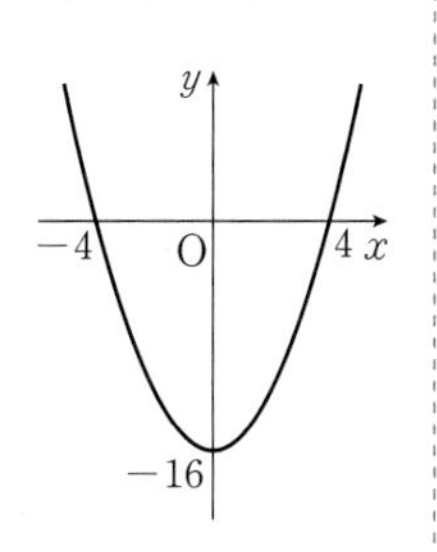

②

$y=x^2+8x$ ________

$y=$ ________

$y=(x+4)^2-1$

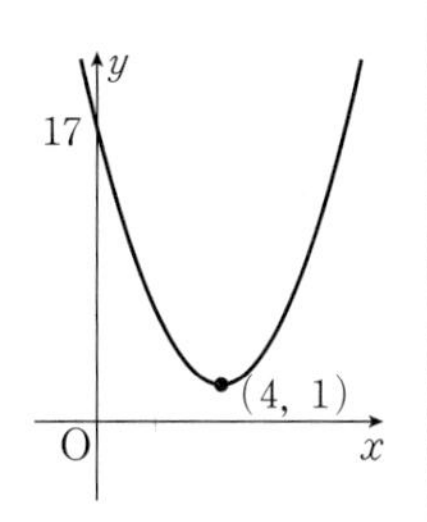

③

$y=x^2-8x$ ________

$y=(x-4)(x-4)$

$y=$ ________

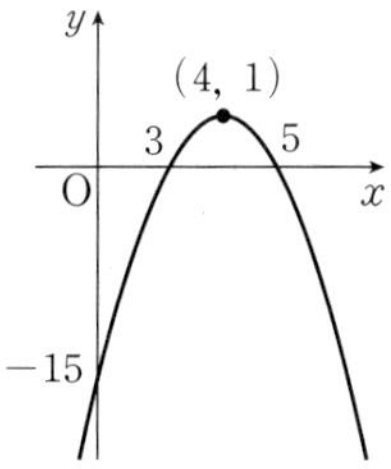

④

$y=-x^2+8x$ ________

$y=$ ________

$y=-(x-4)^2+1$

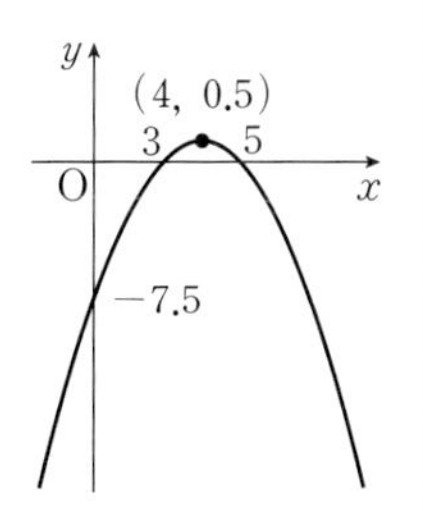

⑤

$y=x^2+2x-35$

$y=$ ________

$y=$ ________

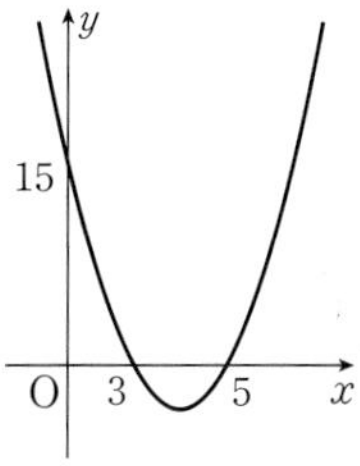

도미노 카드 2

⑥

$y=x^2$ ________

$y=(x+4)(x-4)$

$y=$ ________

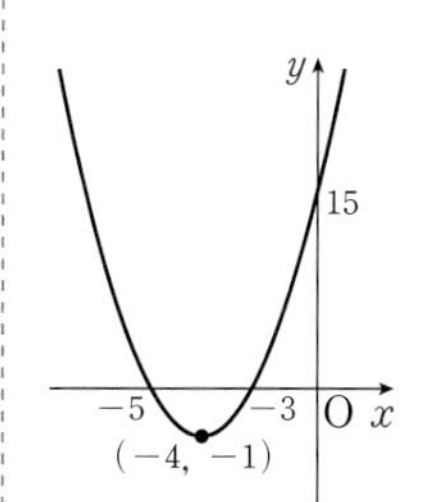

⑦

$y=x^2-8x$ ________

그래프가 x축과 만나지 않는다.

$y=$ ________

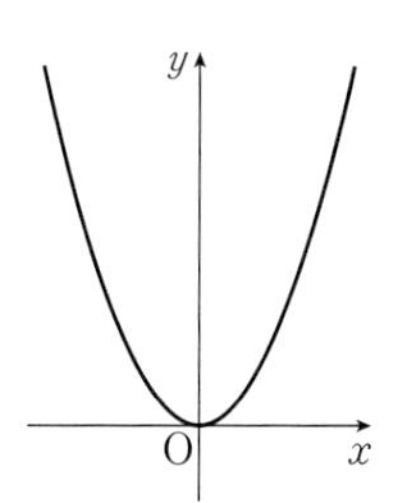

⑧

$y=x^2-8x+15$

$y=(x-3)(x-5)$

$y=(x-4)^2-1$

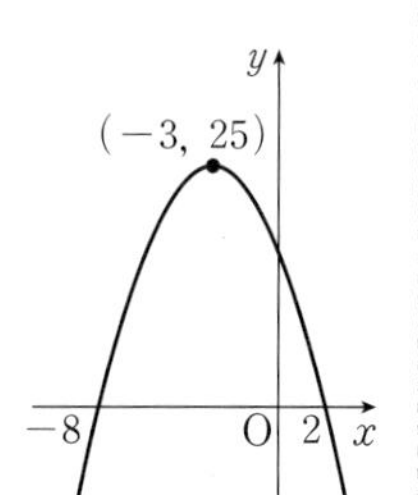

⑨

$y=-\frac{1}{2}x^2+4x$ ________

$y=-\frac{(x-3)(x-5)}{2}$

$y=$ ________

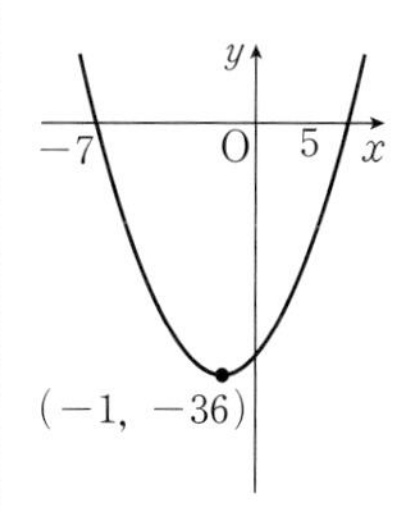

⑩

$y=x^2$ ________

$y=$ ________

$y=$ ________

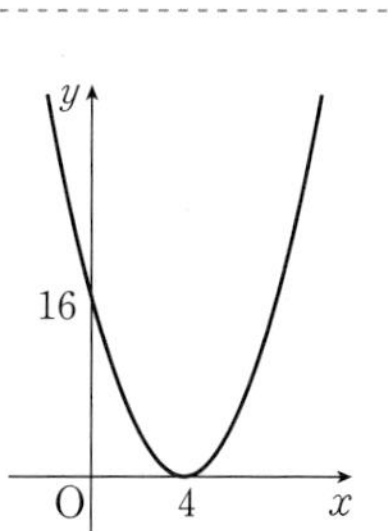

개념과 원리 탐구하기 6

공학적 도구 사용 

1 **이차함수와 그 그래프에 대하여 탐구해 보았습니다. 여기서는 우리 주변에서 쉽게 찾아볼 수 있는 포물선 모양의 곡선이 이차함수라 가정하고 공학적 도구(알지오매스)를 이용하여 그 함수식을 찾아볼 것입니다. 다음을 함께 탐구해 보자.**

(1) **1 탐구하기 2**에서 모션캡쳐 애플리케이션으로 다운로드 한 사진을 이용하자.

(2) 메뉴의 점 그룹에서 '그림 넣기'를 선택합니다.

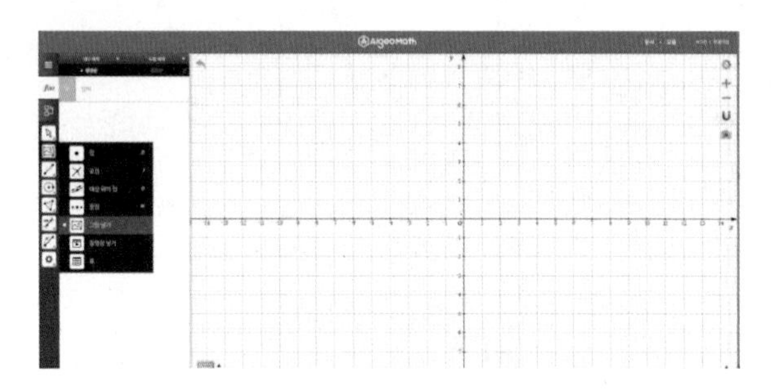

(3) 사진을 삽입하고 싶은 위치를 누르면 '파일 선택창'이 뜹니다.

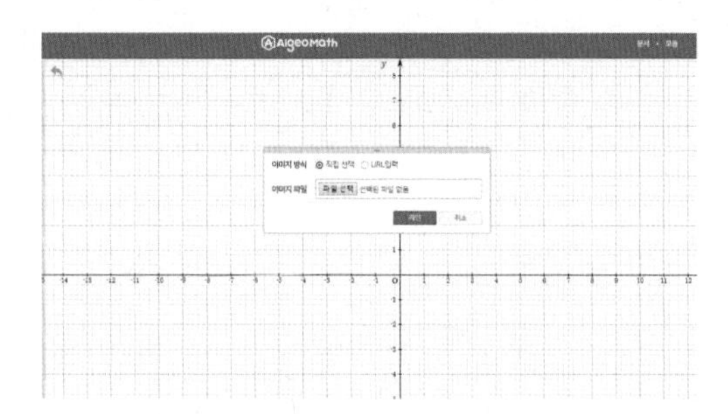

(4) 삽입된 사진을 클릭하고 오른쪽 마우스를 눌러 「격자 아래로 보내기」를 선택하면 사진을 뒤로 보낼 수 있습니다.

(5) 사진 속 포물선을 원하는 곳에 위치시키고 왼쪽 함수 입력하는 곳에 여러 가지 수치를 바꾸어 보며 사진에서 찾은 포물선의 함수식을 찾아보자.

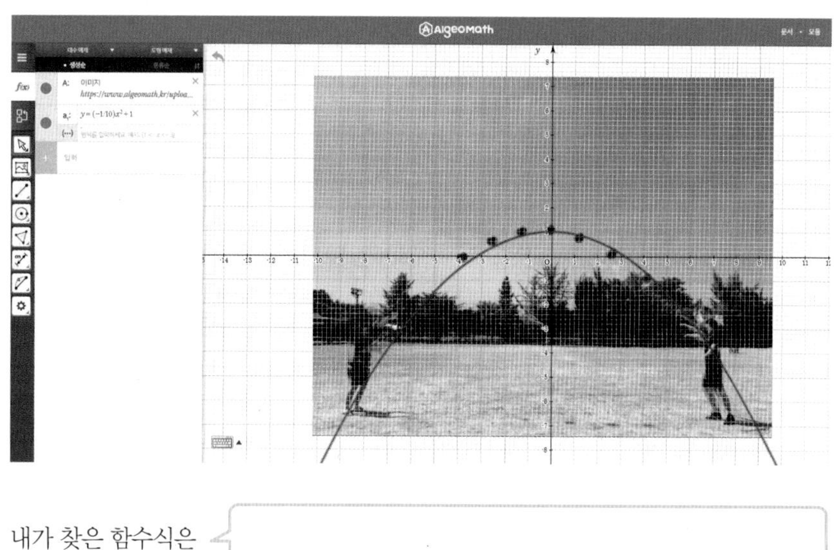

내가 찾은 함수식은

(6) (5)의 과정에서 a, b, c의 값에 따라 그래프의 모양이 어떻게 바뀌는지 3가지 이상 찾아 정리해 보자.

탐구 되돌아보기

1 다음은 이차함수 $y=ax^2$의 다양한 그래프입니다. 이 그래프들을 비교하며 알 수 있는 사실을 있는 대로 찾아보자.

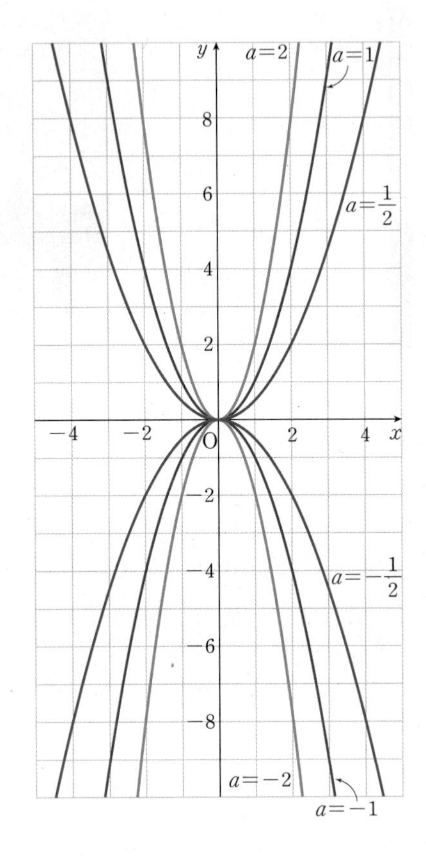

2 이차함수 $y=ax^2$의 그래프에 대한 세 친구의 대화가 옳은지 판단하고 옳지 않은 부분이 있다면 바르게 고쳐 보자.

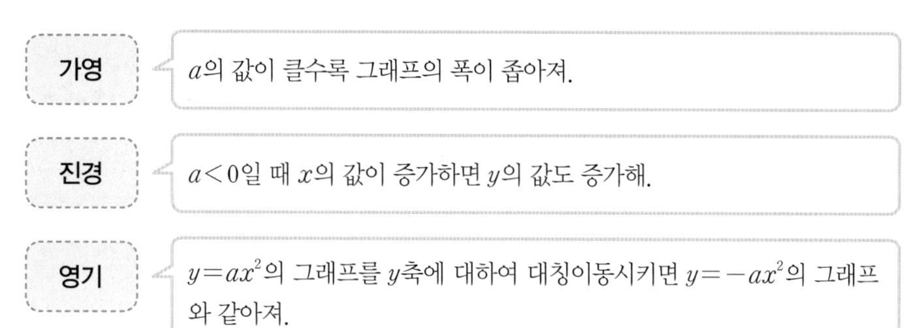

3 다음 네 개의 이차함수의 그래프에서 그래프의 폭이 넓은 것부터 차례대로 기호를 쓰고 그 이유를 설명해 보자.

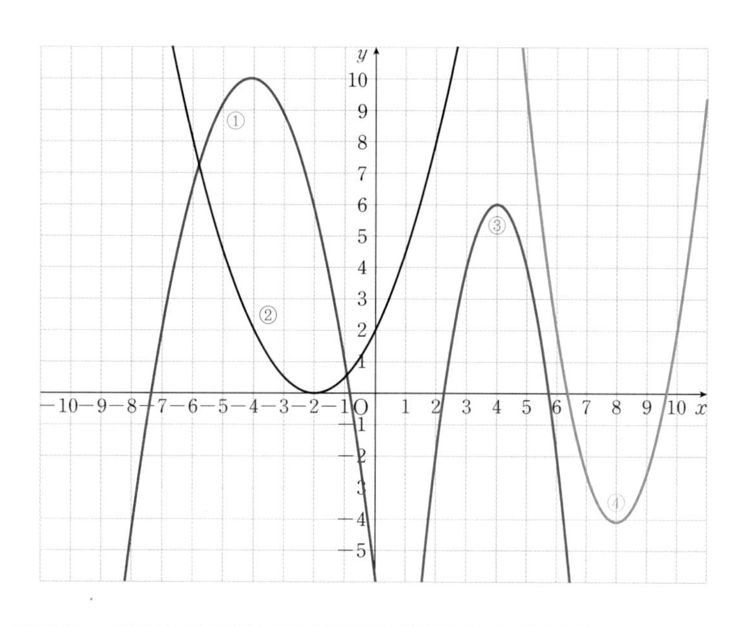

4 **다음을 함께 탐구해 보자.**

(1) 점 $(0,\ 1)$을 지나고 꼭짓점의 좌표가 $(-2,\ 5)$인 포물선을 그려 보자.

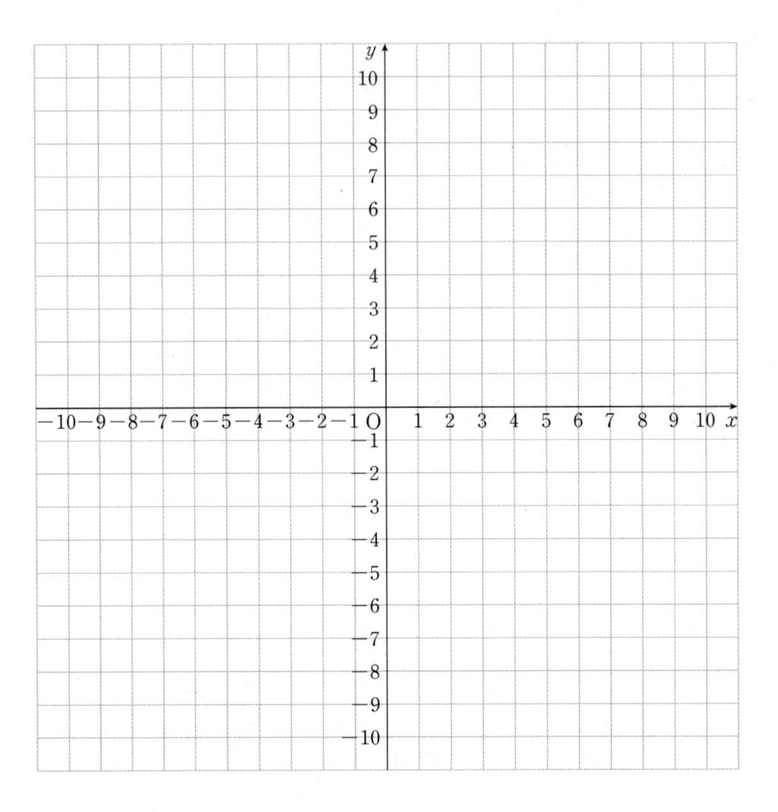

(2) (1)에서 그린 포물선이 나타내는 이차함수를 구하고 구한 방법을 설명해 보자.

5 그래프가 나타내는 이차함수의 식을 구하고 그 방법을 설명해 보자.

(1)

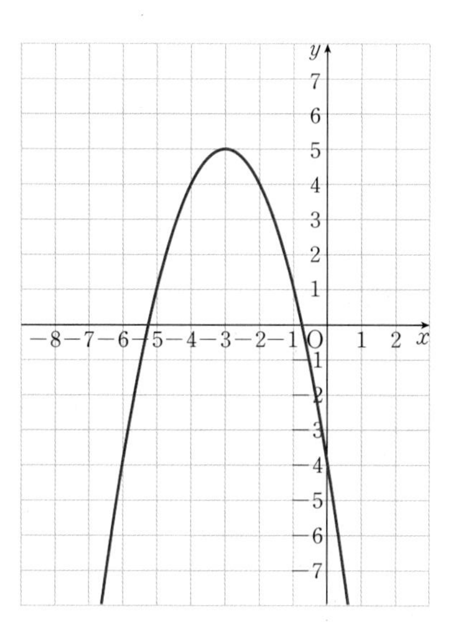

(2)

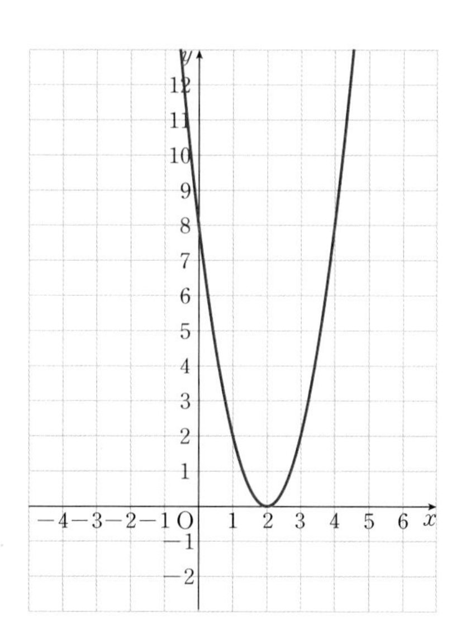

6 분수대에 다음 그림과 같은 분수의 물줄기가 만들어집니다. 물줄기의 높이는 8 m, 분수구에서 잰 물줄기의 폭이 4 m일 때, 분수의 물줄기 모양을 이차함수로 표현해 보자.

내가 만든는 수학 이야기

7 다음 용어 중 몇 개를 포함하여 이차함수의 그래프에 대한 이야기를 만들어 보자.

용어

포물선, 볼록, 축, 꼭짓점, 폭

제 목

Give the shape : 목표로 내딛기

개념과 원리 연결하기

1 다음 각각이 이차함수인지 아닌지 판단하고 그렇게 생각한 이유를 써보자.

① $y=\frac{1}{2}x(2-x)$

②

x	⋯	-2	-1	0	1	2	⋯
y	⋯	-4	$-\frac{3}{2}$	0	$\frac{1}{2}$	0	⋯

③

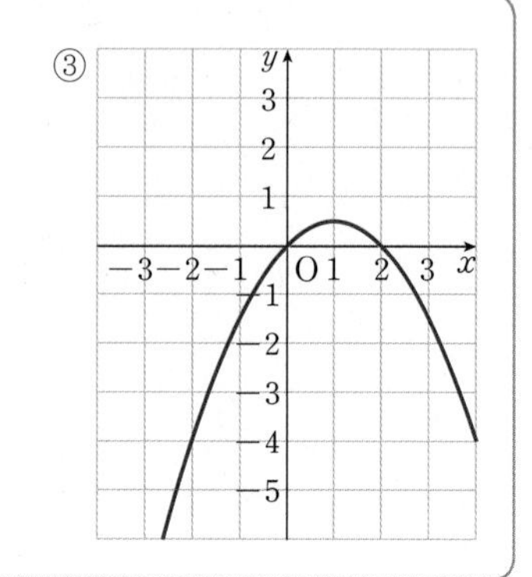

나의 첫 생각

다른 친구들의 생각

정리된 나의 생각

2 이차함수의 개념을 정리해 보자.

(1) 이 단원에서 알게 된 이차함수와 그 그래프에 관련된 내용을 모두 정리해 보자.

(2) 이차함수와 연결된 개념을 복습해 보자. 그리고 제시된 개념과 이차함수 사이의 연결성을 찾아 모둠에서 함께 정리해 보자.

이차함수와 연결된 개념	각 개념의 뜻과 이차함수의 연결성
• 합동과 대칭 • 정비례와 반비례 • 순서쌍과 좌표 • x절편, y절편 • 평행이동 • 일차함수와 그래프	

Discover the truth : 정상 도착!

수학 학습원리 완성하기

도혜는 105쪽 [1] 탐구하기 1을 해결하기 위한 자기 사고 과정을 다음과 같은 방법으로 설명했습니다.

내가 선택한 탐구 과제

1 (2) (1)을 참고하여 표를 완성하고 x와 y의 관계식을 찾을 수 있다면 구해 보자.

그림 x	1	2	3	4	5	6	7	8	9	10
타일 y개	1	4								

2 다음 표에서 규칙성을 찾아 x, y의 관계식을 구하고 **1** 의 표와 비교하여 차이점을 써보자.

x	0	1	2	3	4	5	6	⋯
y	1	3	5	7	9	11	13	⋯

도혜의 깨달음

1 의 관계식은 $y=x^2$이라고 쉽게 찾을 수 있었다. 그런데 **2** 와 같은 규칙을 **1** 의 식에서는 찾을 수 없는지가 궁금해졌다. x는 1씩 증가하고 있는데 y가 변화하는 값은 3, 5, 7, 9, 11, ⋯ 로 홀수로 증가하는 것을 찾았다. 그런데 홀수로 변하고 있다고 표현하기가 어색해서 어떻게 설명해야 할지 고민하다 보니 변화하는 값이 2씩 커지는 것을 발견할 수 있었다. 즉, 변화율의 변화율이 일정하게 2인 것이었다. 이는 이차함수 식이 없이 표만 주어져도 쉽게 이차함수라는 관계를 밝힐 수 있는 좋은 방법인 것 같다.

수학 학습원리

학습원리 2. 관찰하는 습관을 통해 규칙성 표현하기

1 도혜의 설명에서 다른 수학 학습원리를 발견할 수 있는지 찾아보자.

2 도혜가 한 것처럼 이 단원의 다른 탐구 과제를 선택하여 해결하는 사고 과정을 설명해 보고 사용한 수학 학습원리를 찾아보자.

내가 선택한 탐구 과제

나의 깨달음

수학 학습원리

수학 학습원리

1. 끈기 있는 태도와 자신감 기르기
2. 관찰하는 습관을 통해 규칙성 표현하기
3. 수학적 추론을 통해 자신의 생각 정리하기
4. 수학적 의사소통 능력 기르기
5. 여러 가지 수학 개념 연결하기

〈부록 1〉 근호를 포함한 식의 계산 ① _ 탐구하기 7

▶041쪽

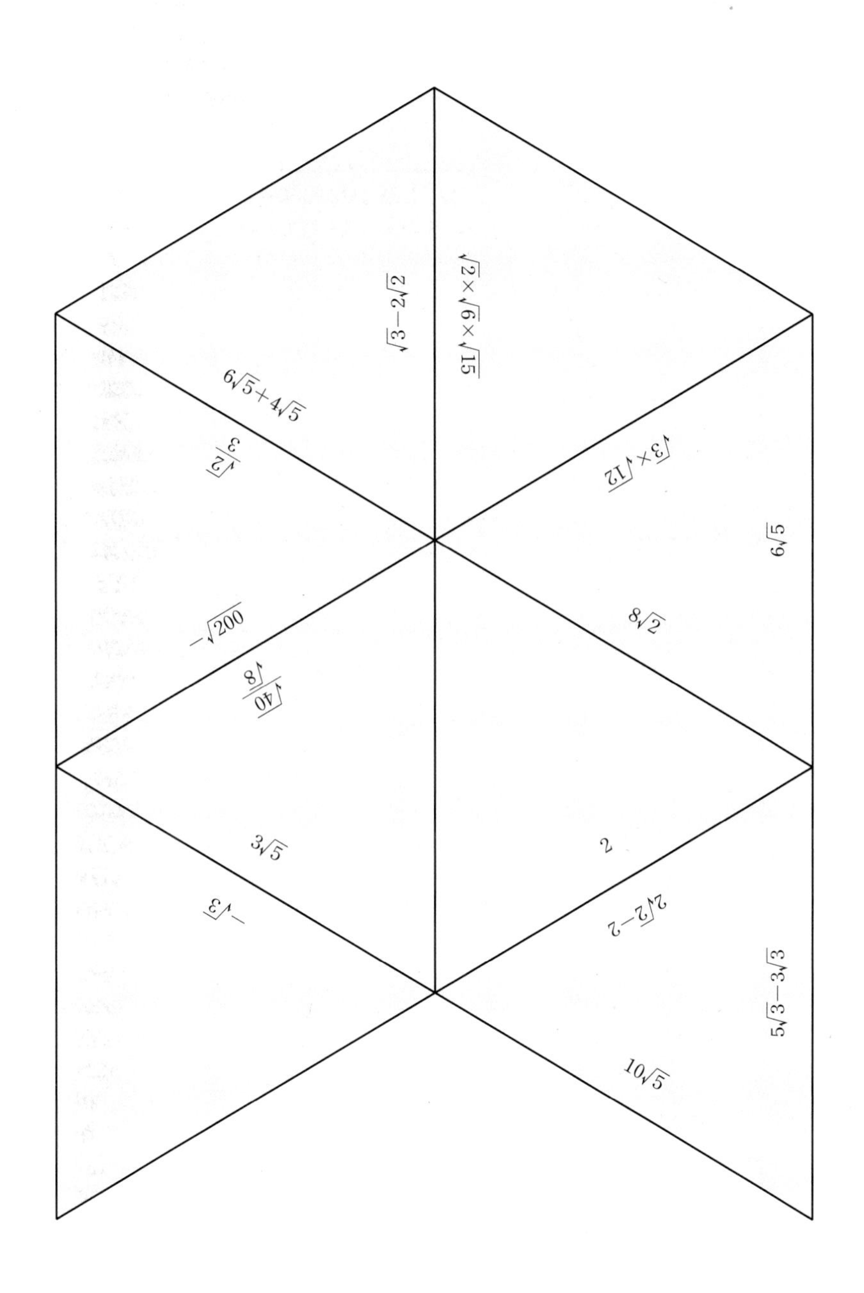

〈부록 1〉 근호를 포함한 식의 계산 ② _ 탐구하기 7

▶042쪽

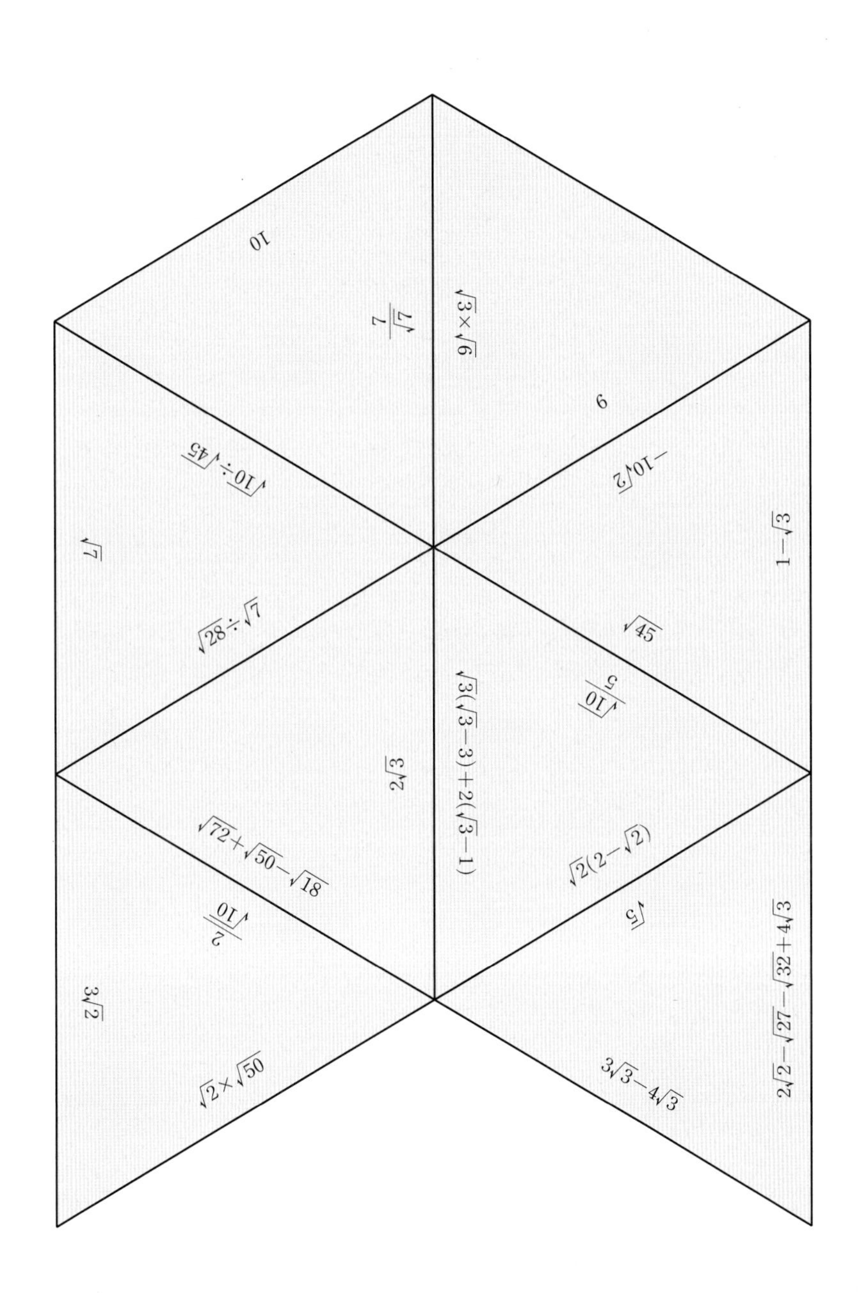

〈부록 2〉 인수분해 _ 탐구하기 2

▶ 067쪽

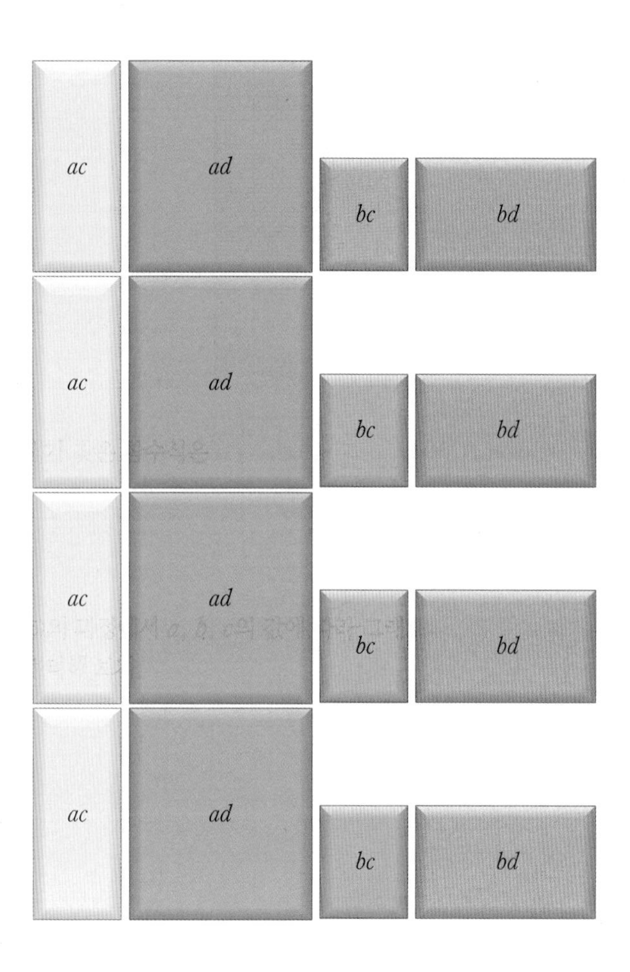

〈부록 3〉 대수막대 _ 탐구하기 2

▶068~070쪽

〈부록 4〉 곱셈 공식과 인수분해 _ 탐구하기 4 2 (3)

▶074쪽

1	16	x^2
$-9y^2$	$4x^2$	$2xy$
$-4x$	$-8x$	$10x$
$-5x$	y^2	$-y^2$
-3	$2x^2$	$8x$

〈부록 5〉 좌표명면 _ 탐구하기 3

▶ 110쪽, 111쪽, 112쪽, 113쪽

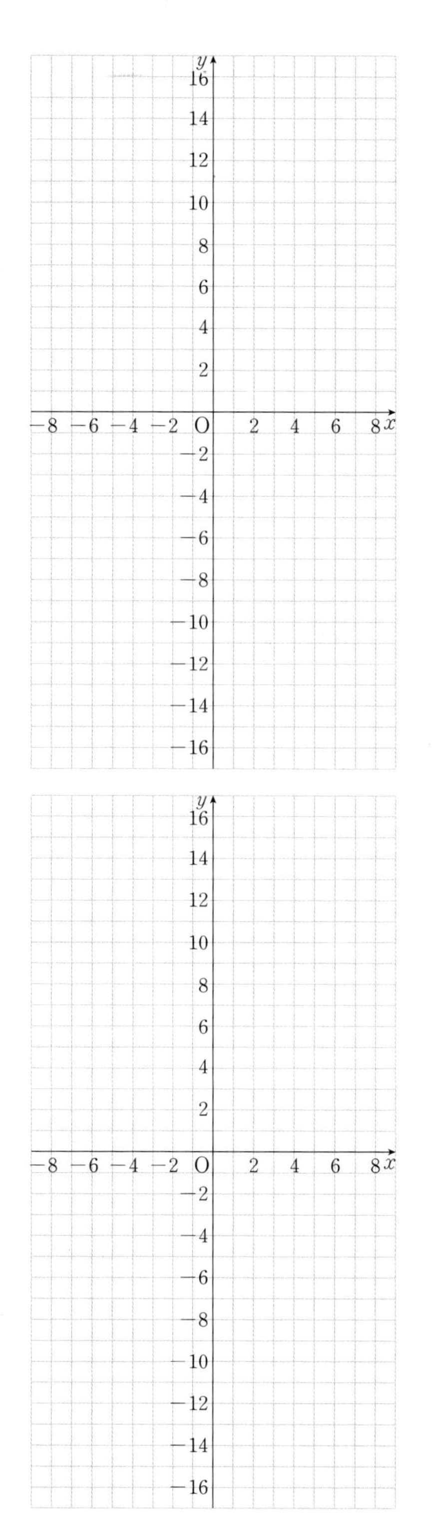

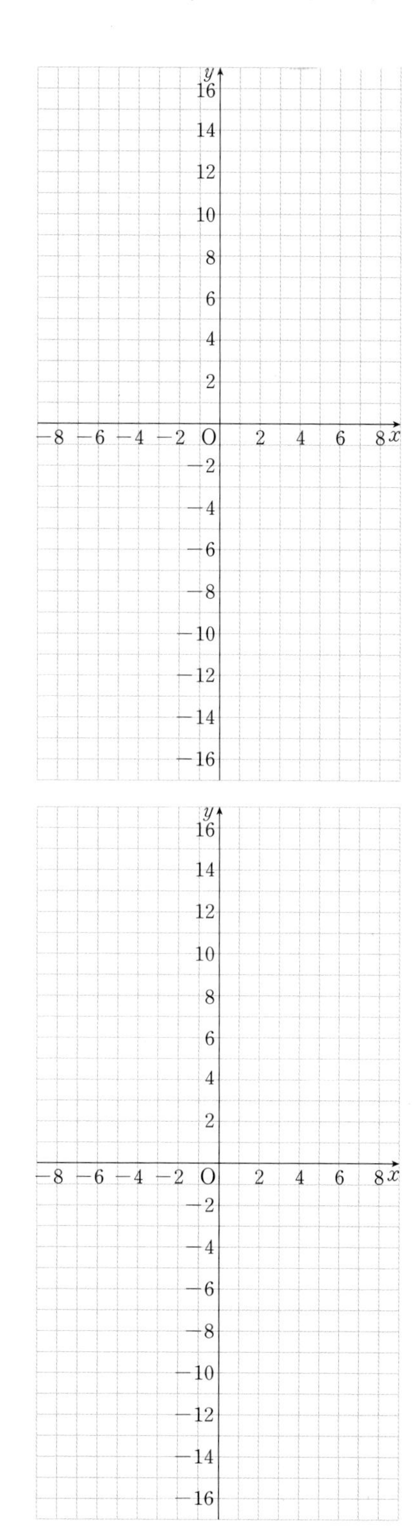

〈부록 6〉 도미노 카드 _ 탐구하기 5

▶130쪽, 131쪽

도미노 카드 1

①

$y=-x^2-6x+16$

$y=-(x+8)(x-2)$

$y=-(x+3)^2+25$

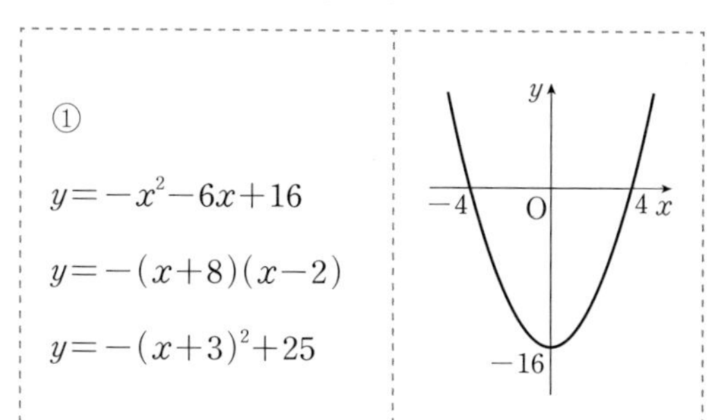

②

$y=x^2+8x$ __________

$y=$ _______________

$y=(x+4)^2-1$

17

(4, 1)

O

③

$y=x^2-8x$ __________

$y=(x-4)(x-4)$

$y=$ _______________

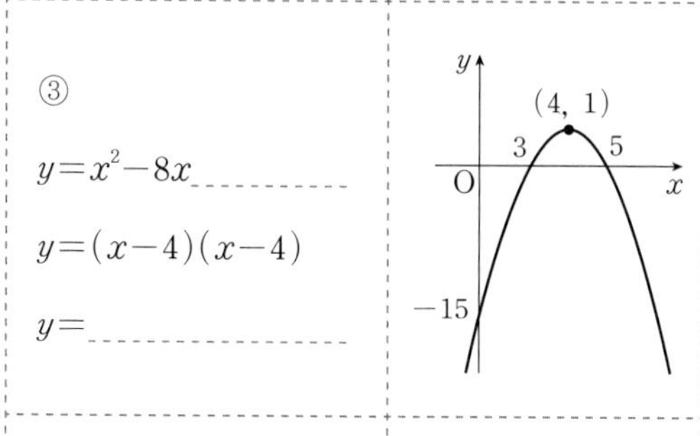

④

$y=-x^2+8x$ __________

$y=$ _______________

$y=-(x-4)^2+1$

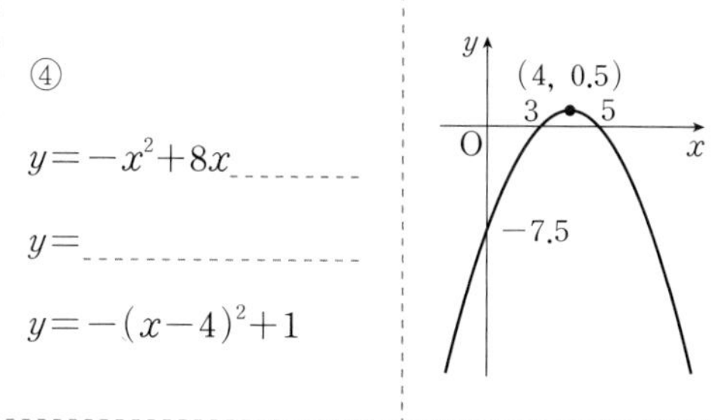

⑤

$y=x^2+2x-35$

$y=$ _______________

$y=$ _______________

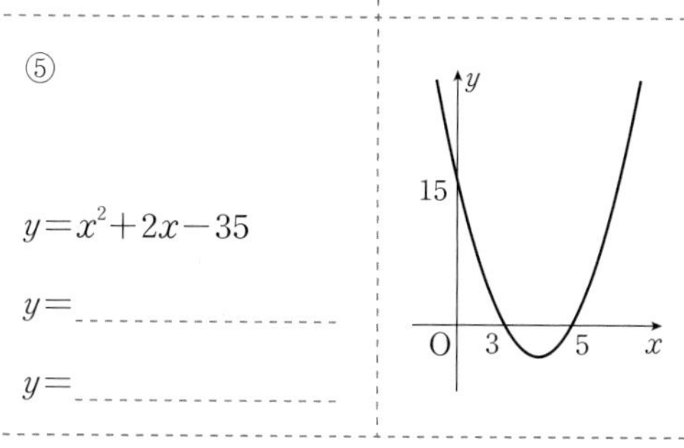

도미노 카드 2

⑥

$y=x^2$ __________

$y=(x+4)(x-4)$

$y=$ _______________

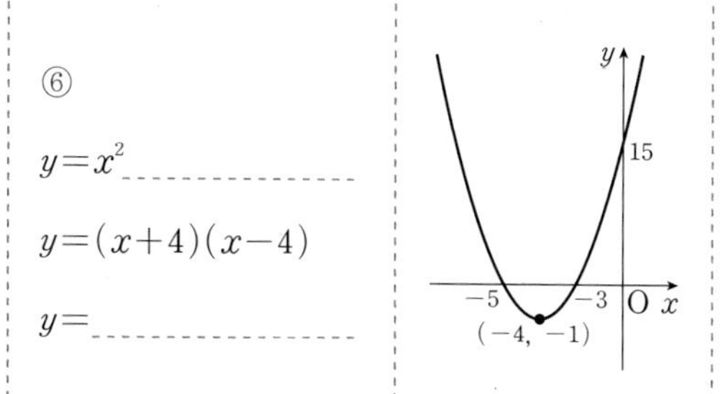

⑦

$y=x^2-8x$ __________

그래프가 x축과 만나지 않는다.

$y=$ _______________

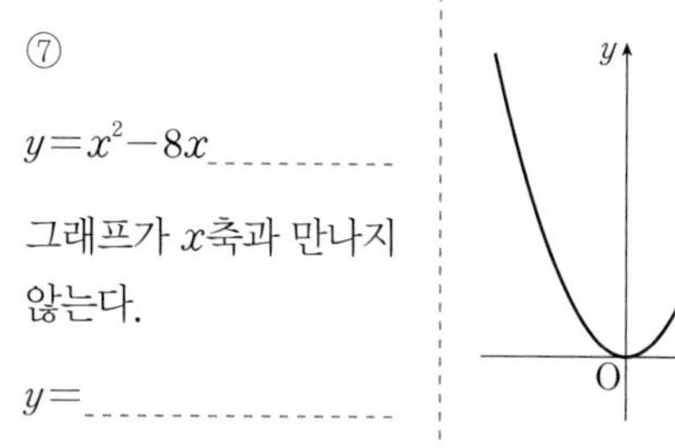

⑧

$y=x^2-8x+15$

$y=(x-3)(x-5)$

$y=(x-4)^2-1$

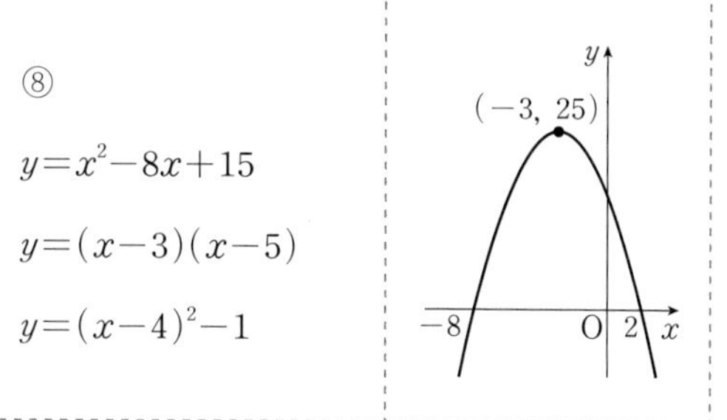

⑨

$y=-\frac{1}{2}x^2+4x$ __________

$y=-\frac{(x-3)(x-5)}{2}$

$y=$ _______________

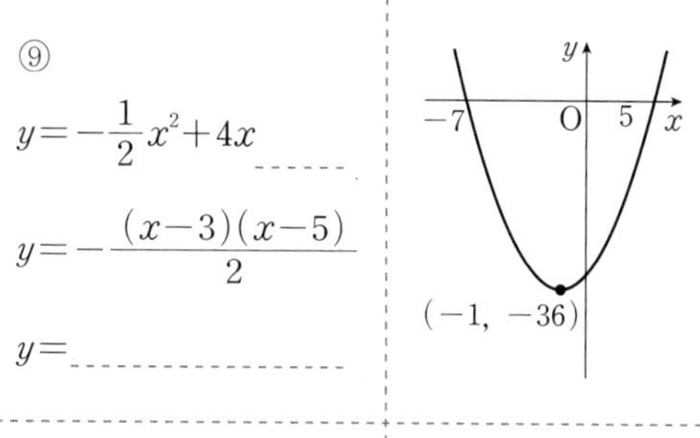

⑩

$y=x^2$ __________

$y=$ _______________

$y=$ _______________

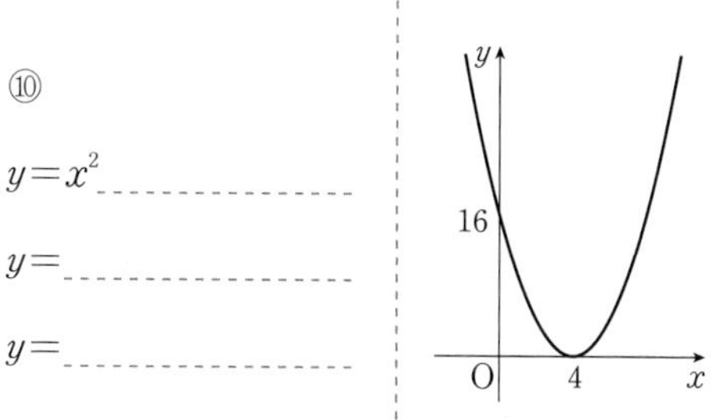

제곱근표 ①

수	0	1	2	3	4	5	6	7	8	9
1.0	1.000	1.005	1.010	1.015	1.020	1.025	1.030	1.034	1.039	1.044
1.1	1.049	1.054	1.058	1.063	1.068	1.072	1.077	1.082	1.086	1.091
1.2	1.095	1.100	1.105	1.109	1.114	1.118	1.122	1.127	1.131	1.136
1.3	1.140	1.145	1.149	1.153	1.158	1.162	1.166	1.170	1.175	1.179
1.4	1.183	1.187	1.192	1.196	1.200	1.204	1.208	1.212	1.217	1.221
1.5	1.225	1.229	1.233	1.237	1.241	1.245	1.249	1.253	1.257	1.261
1.6	1.265	1.269	1.273	1.277	1.281	1.285	1.288	1.292	1.296	1.300
1.7	1.304	1.308	1.311	1.315	1.319	1.323	1.327	1.330	1.334	1.338
1.8	1.342	1.345	1.349	1.353	1.356	1.360	1.364	1.367	1.371	1.375
1.9	1.378	1.382	1.386	1.389	1.393	1.396	1.400	1.404	1.407	1.411
2.0	1.414	1.418	1.421	1.425	1.428	1.432	1.435	1.439	1.442	1.446
2.1	1.449	1.453	1.456	1.459	1.463	1.466	1.470	1.473	1.476	1.480
2.2	1.483	1.487	1.490	1.493	1.497	1.500	1.503	1.507	1.510	1.513
2.3	1.517	1.520	1.523	1.526	1.530	1.533	1.536	1.539	1.543	1.546
2.4	1.549	1.552	1.556	1.559	1.562	1.565	1.568	1.572	1.575	1.578
2.5	1.581	1.584	1.587	1.591	1.594	1.597	1.600	1.603	1.606	1.609
2.6	1.612	1.616	1.619	1.622	1.625	1.628	1.631	1.634	1.637	1.640
2.7	1.643	1.646	1.649	1.652	1.655	1.658	1.661	1.664	1.667	1.670
2.8	1.673	1.676	1.679	1.682	1.685	1.688	1.691	1.694	1.697	1.700
2.9	1.703	1.706	1.709	1.712	1.715	1.718	1.720	1.723	1.726	1.729
3.0	1.732	1.735	1.738	1.741	1.744	1.746	1.749	1.752	1.755	1.758
3.1	1.761	1.764	1.766	1.769	1.772	1.775	1.778	1.780	1.783	1.786
3.2	1.789	1.792	1.794	1.797	1.800	1.803	1.806	1.808	1.811	1.814
3.3	1.817	1.819	1.822	1.825	1.828	1.830	1.833	1.836	1.838	1.841
3.4	1.844	1.847	1.849	1.852	1.855	1.857	1.860	1.863	1.865	1.868
3.5	1.871	1.873	1.876	1.879	1.881	1.884	1.887	1.889	1.892	1.895
3.6	1.897	1.900	1.903	1.905	1.908	1.910	1.913	1.916	1.918	1.921
3.7	1.924	1.926	1.929	1.931	1.934	1.936	1.939	1.942	1.944	1.947
3.8	1.949	1.952	1.954	1.957	1.960	1.962	1.965	1.967	1.970	1.972
3.9	1.975	1.977	1.980	1.982	1.985	1.987	1.990	1.992	1.995	1.997
4.0	2.000	2.002	2.005	2.007	2.010	2.012	2.015	2.017	2.020	2.022
4.1	2.025	2.027	2.030	2.032	2.035	2.037	2.040	2.042	2.045	2.047
4.2	2.049	2.052	2.054	2.057	2.059	2.062	2.064	2.066	2.069	2.071
4.3	2.074	2.076	2.078	2.081	2.083	2.086	2.088	2.090	2.093	2.095
4.4	2.098	2.100	2.102	2.105	2.107	2.110	2.112	2.114	2.117	2.119
4.5	2.121	2.124	2.126	2.128	2.131	2.133	2.135	2.138	2.140	2.142
4.6	2.145	2.147	2.149	2.152	2.154	2.156	2.159	2.161	2.163	2.166
4.7	2.168	2.170	2.173	2.175	2.177	2.179	2.182	2.184	2.186	2.189
4.8	2.191	2.193	2.195	2.198	2.200	2.202	2.205	2.207	2.209	2.211
4.9	2.214	2.216	2.218	2.220	2.223	2.225	2.227	2.229	2.232	2.234
5.0	2.236	2.238	2.241	2.243	2.245	2.247	2.249	2.252	2.254	2.256
5.1	2.258	2.261	2.263	2.265	2.267	2.269	2.272	2.274	2.276	2.278
5.2	2.280	2.283	2.285	2.287	2.289	2.291	2.293	2.296	2.298	2.300
5.3	2.302	2.304	2.307	2.309	2.311	2.313	2.315	2.317	2.319	2.322
5.4	2.324	2.326	2.328	2.330	2.332	2.335	2.337	2.339	2.341	2.343

제곱근표 ❷

수	0	1	2	3	4	5	6	7	8	9
5.5	2.345	2.347	2.349	2.352	2.354	2.356	2.358	2.360	2.362	2.364
5.6	2.366	2.369	2.371	2.373	2.375	2.377	2.379	2.381	2.383	2.385
5.7	2.387	2.390	2.392	2.394	2.396	2.398	2.400	2.402	2.404	2.406
5.8	2.408	2.410	2.412	2.415	2.417	2.419	2.421	2.423	2.425	2.427
5.9	2.429	2.431	2.433	2.435	2.437	2.439	2.441	2.443	2.445	2.447
6.0	2.449	2.452	2.454	2.456	2.458	2.460	2.462	2.464	2.466	2.468
6.1	2.470	2.472	2.474	2.476	2.478	2.480	2.482	2.484	2.486	2.488
6.2	2.490	2.492	2.494	2.496	2.498	2.500	2.502	2.504	2.506	2.508
6.3	2.510	2.512	2.514	2.516	2.518	2.520	2.522	2.524	2.526	2.528
6.4	2.530	2.532	2.534	2.536	2.538	2.540	2.542	2.544	2.546	2.548
6.5	2.550	2.551	2.553	2.555	2.557	2.559	2.561	2.563	2.565	2.567
6.6	2.569	2.571	2.573	2.575	2.577	2.579	2.581	2.583	2.585	2.587
6.7	2.588	2.590	2.592	2.594	2.596	2.598	2.600	2.602	2.604	2.606
6.8	2.608	2.610	2.612	2.613	2.615	2.617	2.619	2.621	2.623	2.625
6.9	2.627	2.629	2.631	2.632	2.634	2.636	2.638	2.640	2.642	2.644
7.0	2.646	2.648	2.650	2.651	2.653	2.655	2.657	2.659	2.661	2.663
7.1	2.665	2.666	2.668	2.670	2.672	2.674	2.676	2.678	2.680	2.681
7.2	2.683	2.685	2.687	2.689	2.691	2.693	2.694	2.696	2.698	2.700
7.3	2.702	2.704	2.706	2.707	2.709	2.711	2.713	2.715	2.717	2.718
7.4	2.720	2.722	2.724	2.726	2.728	2.729	2.731	2.733	2.735	2.737
7.5	2.739	2.740	2.742	2.744	2.746	2.748	2.750	2.751	2.753	2.755
7.6	2.757	2.759	2.760	2.762	2.764	2.766	2.768	2.769	2.771	2.773
7.7	2.775	2.777	2.778	2.780	2.782	2.784	2.786	2.787	2.789	2.791
7.8	2.793	2.795	2.796	2.798	2.800	2.802	2.804	2.805	2.807	2.809
7.9	2.811	2.812	2.814	2.816	2.818	2.820	2.821	2.823	2.825	2.827
8.0	2.828	2.830	2.832	2.834	2.835	2.837	2.839	2.841	2.843	2.844
8.1	2.846	2.848	2.850	2.851	2.853	2.855	2.857	2.858	2.860	2.862
8.2	2.864	2.865	2.867	2.869	2.871	2.872	2.874	2.876	2.877	2.879
8.3	2.881	2.883	2.884	2.886	2.888	2.890	2.891	2.893	2.895	2.897
8.4	2.898	2.900	2.902	2.903	2.905	2.907	2.909	2.910	2.912	2.914
8.5	2.915	2.917	2.919	2.921	2.922	2.924	2.926	2.927	2.929	2.931
8.6	2.933	2.934	2.936	2.938	2.939	2.941	2.943	2.944	2.946	2.948
8.7	2.950	2.951	2.953	2.955	2.956	2.958	2.960	2.961	2.963	2.965
8.8	2.966	2.968	2.970	2.972	2.973	2.975	2.977	2.978	2.980	2.982
8.9	2.983	2.985	2.987	2.988	2.990	2.992	2.993	2.995	2.997	2.998
9.0	3.000	3.002	3.003	3.005	3.007	3.008	3.010	3.012	3.013	3.015
9.1	3.017	3.018	3.020	3.022	3.023	3.025	3.027	3.028	3.030	3.032
9.2	3.033	3.035	3.036	3.038	3.040	3.041	3.043	3.045	3.046	3.048
9.3	3.050	3.051	3.053	3.055	3.056	3.058	3.059	3.061	3.063	3.064
9.4	3.066	3.068	3.069	3.071	3.072	3.074	3.076	3.077	3.079	3.081
9.5	3.082	3.084	3.085	3.087	3.089	3.090	3.092	3.094	3.095	3.097
9.6	3.098	3.100	3.102	3.103	3.105	3.106	3.108	3.110	3.111	3.113
9.7	3.114	3.116	3.118	3.119	3.121	3.122	3.124	3.126	3.127	3.129
9.8	3.130	3.132	3.134	3.135	3.137	3.138	3.140	3.142	3.143	3.145
9.9	3.146	3.148	3.150	3.151	3.153	3.154	3.156	3.158	3.159	3.161

제곱근표 ③

수	0	1	2	3	4	5	6	7	8	9
10	3.162	3.178	3.194	3.209	3.225	3.240	3.256	3.271	3.286	3.302
11	3.317	3.332	3.347	3.362	3.376	3.391	3.406	3.421	3.435	3.450
12	3.464	3.479	3.493	3.507	3.521	3.536	3.550	3.564	3.578	3.592
13	3.606	3.619	3.633	3.647	3.661	3.674	3.688	3.701	3.715	3.728
14	3.742	3.755	3.768	3.782	3.795	3.808	3.821	3.834	3.847	3.860
15	3.873	3.886	3.899	3.912	3.924	3.937	3.950	3.962	3.975	3.987
16	4.000	4.012	4.025	4.037	4.050	4.062	4.074	4.087	4.099	4.111
17	4.123	4.135	4.147	4.159	4.171	4.183	4.195	4.207	4.219	4.231
18	4.243	4.254	4.266	4.278	4.290	4.301	4.313	4.324	4.336	4.347
19	4.359	4.370	4.382	4.393	4.405	4.416	4.427	4.438	4.450	4.461
20	4.472	4.483	4.494	4.506	4.517	4.528	4.539	4.550	4.561	4.572
21	4.583	4.593	4.604	4.615	4.626	4.637	4.648	4.658	4.669	4.680
22	4.690	4.701	4.712	4.722	4.733	4.743	4.754	4.764	4.775	4.785
23	4.796	4.806	4.817	4.827	4.837	4.848	4.858	4.868	4.879	4.889
24	4.899	4.909	4.919	4.930	4.940	4.950	4.960	4.970	4.980	4.990
25	5.000	5.010	5.020	5.030	5.040	5.050	5.060	5.070	5.079	5.089
26	5.099	5.109	5.119	5.128	5.138	5.148	5.158	5.167	5.177	5.187
27	5.196	5.206	5.215	5.225	5.235	5.244	5.254	5.263	5.273	5.282
28	5.292	5.301	5.310	5.320	5.329	5.339	5.348	5.357	5.367	5.376
29	5.385	5.394	5.404	5.413	5.422	5.431	5.441	5.450	5.459	5.468
30	5.477	5.486	5.495	5.505	5.514	5.523	5.532	5.541	5.550	5.559
31	5.568	5.577	5.586	5.595	5.604	5.612	5.621	5.630	5.639	5.648
32	5.657	5.666	5.675	5.683	5.692	5.701	5.710	5.718	5.727	5.736
33	5.745	5.753	5.762	5.771	5.779	5.788	5.797	5.805	5.814	5.822
34	5.831	5.840	5.848	5.857	5.865	5.874	5.882	5.891	5.899	5.908
35	5.916	5.925	5.933	5.941	5.950	5.958	5.967	5.975	5.983	5.992
36	6.000	6.008	6.017	6.025	6.033	6.042	6.050	6.058	6.066	6.075
37	6.083	6.091	6.099	6.107	6.116	6.124	6.132	6.140	6.148	6.156
38	6.164	6.173	6.181	6.189	6.197	6.205	6.213	6.221	6.229	6.237
39	6.245	6.253	6.261	6.269	6.277	6.285	6.293	6.301	6.309	6.317
40	6.325	6.332	6.340	6.348	6.356	6.364	6.372	6.380	6.387	6.395
41	6.403	6.411	6.419	6.427	6.434	6.442	6.450	6.458	6.465	6.473
42	6.481	6.488	6.496	6.504	6.512	6.519	6.527	6.535	6.542	6.550
43	6.557	6.565	6.573	6.580	6.588	6.595	6.603	6.611	6.618	6.626
44	6.633	6.641	6.648	6.656	6.663	6.671	6.678	6.686	6.693	6.701
45	6.708	6.716	6.723	6.731	6.738	6.745	6.753	6.760	6.768	6.775
46	6.782	6.790	6.797	6.804	6.812	6.819	6.826	6.834	6.841	6.848
47	6.856	6.863	6.870	6.877	6.885	6.892	6.899	6.907	6.914	6.921
48	6.928	6.935	6.943	6.950	6.957	6.964	6.971	6.979	6.986	6.993
49	7.000	7.007	7.014	7.021	7.029	7.036	7.043	7.050	7.057	7.064
50	7.071	7.078	7.085	7.092	7.099	7.106	7.113	7.120	7.127	7.134
51	7.141	7.148	7.155	7.162	7.169	7.176	7.183	7.190	7.197	7.204
52	7.211	7.218	7.225	7.232	7.239	7.246	7.253	7.259	7.266	7.273
53	7.280	7.287	7.294	7.301	7.308	7.314	7.321	7.328	7.335	7.342
54	7.348	7.355	7.362	7.369	7.376	7.382	7.389	7.396	7.403	7.409

제곱근표 ④

수	0	1	2	3	4	5	6	7	8	9
55	7.416	7.423	7.430	7.436	7.443	7.450	7.457	7.463	7.470	7.477
56	7.483	7.490	7.497	7.503	7.510	7.517	7.523	7.530	7.537	7.543
57	7.550	7.556	7.563	7.570	7.576	7.583	7.589	7.596	7.603	7.609
58	7.616	7.622	7.629	7.635	7.642	7.649	7.655	7.662	7.668	7.675
59	7.681	7.688	7.694	7.701	7.707	7.714	7.720	7.727	7.733	7.740
60	7.746	7.752	7.759	7.765	7.772	7.778	7.785	7.791	7.797	7.804
61	7.810	7.817	7.823	7.829	7.836	7.842	7.849	7.855	7.861	7.868
62	7.874	7.880	7.887	7.893	7.899	7.906	7.912	7.918	7.925	7.931
63	7.937	7.944	7.950	7.956	7.962	7.969	7.975	7.981	7.987	7.994
64	8.000	8.006	8.012	8.019	8.025	8.031	8.037	8.044	8.050	8.056
65	8.062	8.068	8.075	8.081	8.087	8.093	8.099	8.106	8.112	8.118
66	8.124	8.130	8.136	8.142	8.149	8.155	8.161	8.167	8.173	8.179
67	8.185	8.191	8.198	8.204	8.210	8.216	8.222	8.228	8.234	8.240
68	8.246	8.252	8.258	8.264	8.270	8.276	8.283	8.289	8.295	8.301
69	8.307	8.313	8.319	8.325	8.331	8.337	8.343	8.349	8.355	8.361
70	8.367	8.373	8.379	8.385	8.390	8.396	8.402	8.408	8.414	8.420
71	8.426	8.432	8.438	8.444	8.450	8.456	8.462	8.468	8.473	8.479
72	8.485	8.491	8.497	8.503	8.509	8.515	8.521	8.526	8.532	8.538
73	8.544	8.550	8.556	8.562	8.567	8.573	8.579	8.585	8.591	8.597
74	8.602	8.608	8.614	8.620	8.626	8.631	8.637	8.643	8.649	8.654
75	8.660	8.666	8.672	8.678	8.683	8.689	8.695	8.701	8.706	8.712
76	8.718	8.724	8.729	8.735	8.741	8.746	8.752	8.758	8.764	8.769
77	8.775	8.781	8.786	8.792	8.798	8.803	8.809	8.815	8.820	8.826
78	8.832	8.837	8.843	8.849	8.854	8.860	8.866	8.871	8.877	8.883
79	8.888	8.894	8.899	8.905	8.911	8.916	8.922	8.927	8.933	8.939
80	8.944	8.950	8.955	8.961	8.967	8.972	8.978	8.983	8.989	8.994
81	9.000	9.006	9.011	9.017	9.022	9.028	9.033	9.039	9.044	9.050
82	9.055	9.061	9.066	9.072	9.077	9.083	9.088	9.094	9.099	9.105
83	9.110	9.116	9.121	9.127	9.132	9.138	9.143	9.149	9.154	9.160
84	9.165	9.171	9.176	9.182	9.187	9.192	9.198	9.203	9.209	9.214
85	9.220	9.225	9.230	9.236	9.241	9.247	9.252	9.257	9.263	9.268
86	9.274	9.279	9.284	9.290	9.295	9.301	9.306	9.311	9.317	9.322
87	9.327	9.333	9.338	9.343	9.349	9.354	9.359	9.365	9.370	9.375
88	9.381	9.386	9.391	9.397	9.402	9.407	9.413	9.418	9.423	9.429
89	9.434	9.439	9.445	9.450	9.455	9.460	9.466	9.471	9.476	9.482
90	9.487	9.492	9.497	9.503	9.508	9.513	9.518	9.524	9.529	9.534
91	9.539	9.545	9.550	9.555	9.560	9.566	9.571	9.576	9.581	9.586
92	9.592	9.597	9.602	9.607	9.612	9.618	9.623	9.628	9.633	9.638
93	9.644	9.649	9.654	9.659	9.664	9.670	9.675	9.680	9.685	9.690
94	9.695	9.701	9.706	9.711	9.716	9.721	9.726	9.731	9.737	9.742
95	9.747	9.752	9.757	9.762	9.767	9.772	9.778	9.783	9.788	9.793
96	9.798	9.803	9.808	9.813	9.818	9.823	9.829	9.834	9.839	9.844
97	9.849	9.854	9.859	9.864	9.869	9.874	9.879	9.884	9.889	9.894
98	9.899	9.905	9.910	9.915	9.920	9.925	9.930	9.935	9.940	9.945
99	9.950	9.955	9.960	9.965	9.970	9.975	9.980	9.985	9.990	9.995

〈사진 자료 출처〉

게티 (하) 55쪽

셔터스톡 (상) 138쪽, 셔터스톡 (하) 44쪽, 78쪽, 80쪽

국립경주박물관 (하) 40쪽

〈참고 자료〉

- 마거릿 스미스 · 메리 케이 스테인, 《효과적인 수학적 논의를 위해 교사가 알아야 할 5가지 관행》, 경문사, 2013.
- 앤 왓슨, 《색다른 학교수학》, 경문사, 2015.

발간 책임

사교육걱정없는세상 수학사교육포럼

집필 기획

최수일 (사교육걱정없는세상 수학사교육포럼)

이경은 (사교육걱정없는세상 수학사교육포럼)

고여진 (사교육걱정없는세상 수학사교육포럼)

집필자

고여진 (사교육걱정없는세상)

국중석 (충남 꿈의학교)

권혁천 (서울 상암중학교)

김도훈 (인천 인하대학교사범대학부속중학교)

김보현 (서울 동성중학교)

김성수 (경기 덕양중학교)

송현숙 (인천 백석중학교)

안창호 (인천 진산과학고등학교)

오정 (강원 사북중학교)

유영의 (인천 선학중학교)

이경은 (서울 영림중학교)

이선영 (경기 신일중학교)

이선재 (경기 정왕중학교)

조미영 (인천 관교중학교)

조숙영 (서울 시흥중학교)

최광용 (경기 문산제일고등학교)

최민기 (경기 소명중고등학교)

최수일 (사교육걱정없는세상)

황선희 (서울 혜원여자중학교)

실험학교 교사

김도훈 (인천 인하대학교사범대학부속중학교)
김성수 (경기 덕양중학교)
김재호 (경기 성문밖학교)
김보현 (서울 동성중학교)
박문환 (서울 서울대학교사범대학부설중학교)
박지혜 (인천 인하대학교사범대학부속중학교)
배한나 (서울 봉영여자중학교)
송현숙 (인천 백석중학교)
심희원 (강원 북원여자중학교)
오정 (강원 사북중학교)
유영의 (인천 선학중학교)
이선영 (경기 신일중학교)
정혜영 (서울 문성중학교)
최민기 (경기 소명중고등학교)
홍선나 (서울 이수중학교)

자문위원

강은주 (총신대학교 유아교육과 교수)
강주용 (마산사교육걱정없는세상 대표)
김운삼 (강동대학교 유아교육과 교수)
김주환 (안동대학교 국어교육과 교수)
남호영 (전 인헌고등학교 수학교사)
민경찬 (연세대학교 수학과 특임교수)
박재원 (사람과교육연구소 연구소장)
송영준 (누원고등학교 수학교사)
윤태호 (서울 오디세이학교 교사)
이규봉 (배재대학교 전산수학과 교수)
임병욱 (가람중학교 과학교사)
조도연 (경기도교육청 교육정책국장)
한상근 (카이스트 수리과학과 교수)
황인각 (전남대학교 물리학과 교수)

펴낸 곳 ㈜창비교육 · 펴낸이 강일우 · 펴낸 날 2019년 12월 15일 초판 1쇄
편집 이혜선 이은영 정미란 · 일러스트 장명진 · 조판 (주)하이테크컴

주소 04004 서울특별시 마포구 월드컵로12길 7
구입 문의 전화 1833-7247 / 팩스 02-6949-0953
내용 문의 사교육걱정없는세상 수학사교육포럼 / 전화 02-797-4044

네이버에서 **대안 수학 교과서 《수학의 발견》** 카페를 검색해 보세요.

MEMO

MEMO

MEMO

구입 문의　㈜창비교육 / 전화 1833-7247 / 팩스 02-6949-0953
내용 문의　사교육걱정없는세상 수학사교육포럼 / 전화 02-797-4044

* 네이버에서 **대안 수학 교과서 《수학의 발견》** 카페를 검색해 보세요.

수학의 발견
생각이 터지는 수학 교과서

수학의 발견

생각이 터지는 수학 교과서

중3 | 하

사교육걱정없는세상
수학사교육포럼 외 16인 지음

창비교육

수학 학습 원리

이 책에서 여러분은 수학적 사고로 넘을 수 있는 다양한 과제를 만납니다. 새로운 과제를 만나면 이미 알고 있는 수학 지식과 수학적 사고력을 적절히 동원하여 그 해결 방법을 찾습니다. 모둠 친구들과 더불어 각각의 과제를 탐구해 가는 과정에서 개념의 연결 고리를 발견할 것입니다. 이때 다섯 가지 '수학 학습 원리'를 기억해 두면 도움이 됩니다.

수학 학습 원리

끈기 있는 태도와 자신감 기르기	• 과제에 포함된 주어진 자료, 사실, 조건에 대해 주의를 기울인다. • 문제를 적극적으로 해결했던 경험을 떠올리며, 또 다른 효율적인 방법이 없는지 계속 궁리한다. • 스스로 과제를 해결해 가는 과정에서 자신감을 기른다.
관찰하는 습관을 통해 규칙성 찾아 표현하기	• 과제에 포함된 몇 가지 사실을 조사하여 규칙을 발견한다. • 규칙을 발견한 뒤 이를 이용하여 결과를 예측해 본다. • 비슷한 문제 상황에 적용할 수 있는지 판단해 보고 일반적인 규칙으로 표현한다.
수학적 추론을 통해 자신의 생각 설명하기	• 자신이 추론한 여러 가지 가설과 사례가 왜 맞는지 설명해 본다. • 새로 탐구한 결과가 이미 알려진 사실에 어떻게 연결되는지 논리적으로 설명한다. • 다른 사람의 주장이 맞는지 판단해 보고 만약 맞지 않는다면 하나 이상의 반례를 찾는다.
수학적 의사소통 능력 기르기	• 표, 수식, 그림, 그래프 등을 이용하여 주어진 조건을 분석하고 설명한다. • 다른 사람에게 자신의 생각을 수학적 언어로 명확하게 설명한다. • 다른 사람의 수학적 사고를 분석하고 평가해 본다.
여러 가지 수학 개념 연결하기	• 수학적 아이디어 혹은 개념 사이의 연결성을 인식하고 활용한다. • 이미 알고 있는 개념에 새로운 개념을 연결하여 개념의 일관성을 키운다. • 일상생활이나 다른 교과의 사례에서 수학을 인식하고 활용해 본다.

탐구 과제에 따라 어떤 학습 원리를 적용하는 게 나은지 명백할 때도 있지만 그렇지 않은 경우도 있습니다. 각각의 과제를 해결한 뒤 다음과 같이 되돌아봅시다.

- 이 과제를 해결하면서 무엇을 배웠나요?
- 이 과제를 학습하는 데 유용한 수학 학습 원리는 무엇인가요?

중3 | 하

차 례

수학의 발견 중3 | 하

"이런 수학, 처음이야!"

실험학교에서 수업 시간에 《수학의 발견》 실험본으로 공부한 중학교 학생들과 학부모, 교사들의 실제 소감입니다.

"제가 수학 수업의 주인공이 되었어요!"

변선민 학생(경기 소명중학교)

《수학의 발견》을 보고 깜짝 놀란 것이 있어요. 공식을 암기하고 문제를 푸는 것에 익숙했는데, 이 책은 수학 공식을 저희가 직접 찾아가도록 하는 것이었어요. 이전에는 그런 과정을 겪은 적이 없었거든요. 그런데 이 책을 통해 우리만의 답을 찾을 수도 있고, 혹은 우리 학교만 알고 있는 그런 공식도 만들어 낼 수도 있을 것 같았어요. 문득 "아, 내가 수학 수업의 주인공이 될 수 있구나!" 하는 생각이 들어 수업에 더욱 흥미가 생겼어요.

"수학이 뻔하지 않아서 좋았어요."

안준선 학생(강원 북원여자중학교)

초등학생 때부터 수학이 너무 싫었어요. 그런데 《수학의 발견》으로 수업하면서 수업이 재미있어지더라고요. 이 책은 뻔하지 않아서 좋았어요. 옛날에는 어려운 문제가 나오면 그냥 안 풀고 포기했거든요. 그런데 지금은 어려운 문제가 나와도 풀고 싶은 마음이 생기고 친구들이랑 공유하면서 푸니까 더 좋아요. 다른 교과서나 문제집은 풀이를 알려 주면서 "너희는 이거 꼭 외워!"라는 식이었거든요. 그러다 보니 기계처럼 푸는 느낌이었어요. 흥미도 안 생기고. 그런데 이 책은 생각할 수 있는 시간을 주니까 기억에 남고 재미있게 풀 수 있었어요.

"이렇게 공부하면 어려운 문제를 더 잘 풀겠더라고요!"

원예연 학생(강원 북원여자중학교)

누가 그러더라고요. "이렇게 하면 입시에 나오는 어려운 문제를 풀 수 있겠냐?"라고 말이죠. 저는 풀 수 있겠다는 생각이 들었어요. 공식을 외워서 문제에 대입해 푸는 것보다는 나을 것 같고, 우리는 이런 공식이 어떻게 나왔는지 아니깐 어려운 문제가 나와도 더 좋은 답을 얻어 낼 수 있을 것 같았어요. 그리고 또 이해를 했으니깐 문제가 어렵다고 포기하지도 않을 거고요. 《수학의 발견》으로 수업할 때 개념과 개념이 서로 연결되어 있음을 발견할 수 있었던 게 도움이 되는 것 같아요.

"같은 수학인데 아이 모습이 뭔가 달랐어요."

이진욱 학생 어머니(서울 대방중학교)

제 아이는 평소에 모르는 문제가 나오면 한두 번 고민하다 그냥 넘어갔어요. 시험 직전에서야 답이랑 풀이 과정을 눈으로 훑어보며 암기하기 바빴죠. 그런데 《수학의 발견》으로 공부할 때는 문제를 대하는 태도가 평소와 다르다는 걸 느꼈어요. 처음에는 문제를 한참 바라보고만 있어서 엄마 입장에선 딴생각을 하는 걸까, 몰라서 그러는 걸까 물어보고 싶었지만 꾹 참고 그냥 지켜 보았어요. 조금 있으니 자기 생각을 적기도 하고 고개도 갸우뚱거리면서 스스로 푸는 과정을 고민하는 모습이 너무 예쁘더라고요. 같은 수학인데 뭔가 다르다고 하는 우리 아들이 참 기특해 보였어요.

"다시는 강의식 수업으로 돌아갈 수 없겠어요."

정혜영 교사(서울 문성중학교)

저는 강의식 수업을 굉장히 좋아했어요. 아이들도 콤팩트한 수업을 잘 이해하는 줄 알았지요. 나중에 알고 보니 아이들이 이해하지 못한 채 집중하는 척했던 것이더라고요. 《수학의 발견》으로 수업한 뒤 달라졌어요. 말로만 듣던 학생 참여 중심 수업과 딱 맞아떨어졌죠. 모둠 토론에 익숙해지니 지금은 제가 설명해 주고 넘어가면 아이들이 싫어해요. 자기들이 공부할 수 있는 시간을 달라는 거죠. 자기들끼리 이야기하고 생각해서 문제를 해결하는 것을 아이들이 얼마나 소중하게 생각하고 좋아하는지 알게 되었어요. 지금 저는 "아, 이제 그 맛을 알았으니 돌아갈 수 없는 강을 건넜구나!" 그런 심정입니다. 다시는 강의식 수업으로 돌아갈 수 없겠어요.

"어차피 만들어야 할 수학 활동지가 여기 다 있네요!"

김은주 교사(강원 북원여자중학교)

《수학의 발견》 샘플 단원을 처음 만났을 때, 기존 교과서에서는 볼 수 없는 문제들, 아이들이 "어, 이거 뭐지?" 그렇게 궁금해할 형태의 문제였습니다. 저는 평소에도 그런 문제를 가지고 수업을 해 보고 싶었지만 혼자 하는 데는 한계가 많았습니다. 그래서 샘플 자료를 보면서 "와~ 이것 너무 좋다. 빨리 나왔으면 좋겠다."라고 생각했고, 실험학교 참여 제안이 와서 기쁜 마음으로 응했습니다. 어차피 수업 활동지 자료를 애써 만들어야 하는데 이미 다 있으니 얼마나 좋았던지. 일 년 동안 정말 많이 배웠습니다.

《수학의 발견》, "이렇게 사용하세요!" 

책의 구성

《수학의 발견》에 있는 문제는 대부분 똑같은 정답이 아니라 나만의 답을 써야 합니다. 나만의 답을 쓰는 과정에서 수학의 개념과 원리를 발견하고 연결하는 방법을 알아 갈 것입니다. 이 책으로 공부할 때는 끈기를 가지고, 관찰하고, 추론하고, 분석해 보세요. 내가 찾은 개념과 원리를 서로 연결하고 그 속에서 수학을 발견하는 기쁨을 맛볼 수 있을 것입니다.

STEP 1 개념과 원리 탐구하기

개념과 원리 탐구하기는 문제를 탐구하면서 수학적 원리를 발견하고 터득하는 과정입니다. 처음에는 어려울 수 있지만 나의 생각을 끄집어내고 발전시키는 것부터 연습하세요. 내가 알고 있는 것, 내가 알아낸 것이 부족해 보여도 탐구하기 문제에 대한 나의 생각을 쓰고 친구들과 토론하는 과정에서 다듬어질 것입니다.

탐구하기 1

탐구하기 2

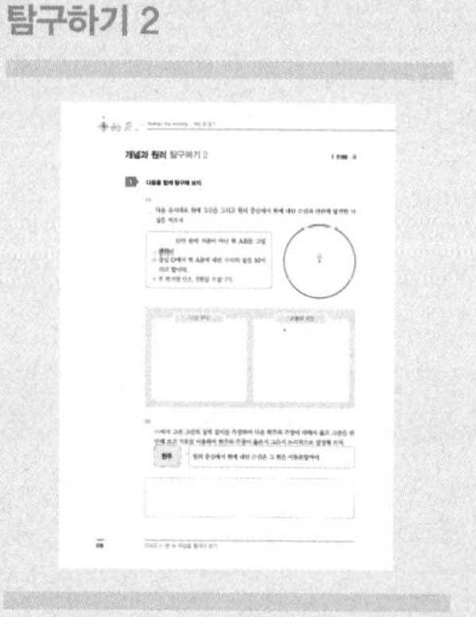

탐구하기 3

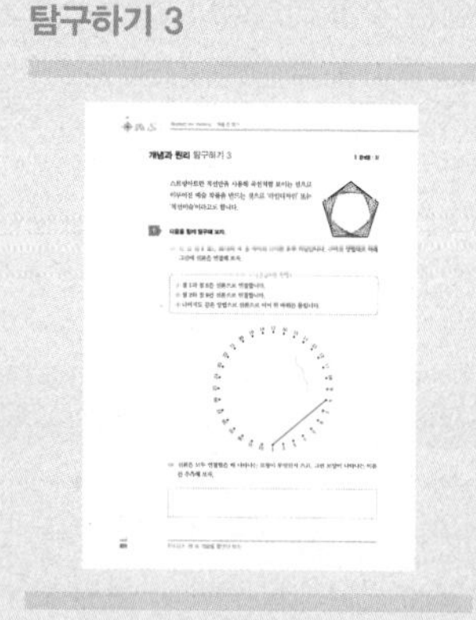

+ 탐구 되돌아보기

'개념과 원리 탐구하기'에서 알게 된 내용을 한 번 더 확실하게 다지는 부분입니다. 친구들과 토론한 이야기, 선생님에게 들은 이야기를 내가 얼마만큼 소화했는지 혼자 정리해 볼 수 있습니다.

STEP 2 개념과 원리 연결하기

새로 배운 주요 개념을 정리하는 과정에서 내 머릿속의 수학 개념을 종합하고 확장해 가는 코너입니다. 이 과정에서는 새로 배운 개념과 예전에 배웠던 개념 중 관련 있는 것을 서로 연결하는 것이 중요합니다. 수학 개념은 신기하게도 서로 연결할 수 있답니다. 그 연결고리를 찾는 순간 배움의 짜릿함을 느낄 수 있고, 그 느낌은 다른 수학 개념이 알고 싶어지는 동기가 됩니다.

STEP 3 수학 학습원리 완성하기

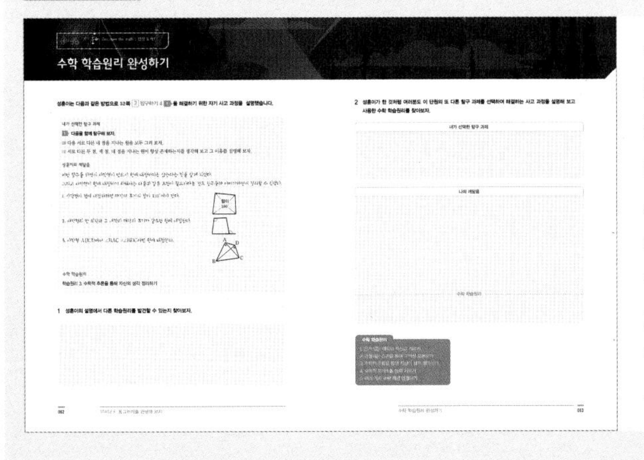

수학 학습원리 완성하기에서는 '개념과 원리 탐구하기'와 '개념과 원리 연결하기'를 공부하면서 내가 어떤 수학 학습원리를 사용했는지 돌아봅니다. 수학을 잘하기 위해서는 많은 문제를 풀어야 할 것 같지만 그 속에 사용된 원리만 파악하면 모든 문제를 쉽게 해결할 수 있습니다. 내가 어떻게 문제를 해결했는지 돌아보고 다른 친구는 어떻게 해결했는지 비교하는 과정에서 학습원리를 내 것으로 만들어 보세요.

이 책을 사용하는 학생에게

1

기존 교과서로 학습하기 전에 《수학의 발견》 먼저!

《수학의 발견》으로 수학 개념을 먼저 탐구합니다. 그런 후 기존 교과서를 참고하세요. 《수학의 발견》은 공식, 풀이 방법, 답을 바로 알려 주지 않고 생각하고 탐구할 시간을 줍니다. 그 시간을 가져야 여러분들이 '생각하는 방법'을 배울 수 있습니다.

2

함께 토론할 수 있는 친구들이 있을 때

맞았는지 틀렸는지를 떠나서 내 생각을 찾고 표현하는 것이 중요합니다. 문제를 읽고 일단 짧게라도 나만의 생각이나 주장을 만들어 보세요. 그리고 왜 그렇게 생각했는지를 친구들과 토론하며 답을 완성하고, 수학 개념을 찾아갑니다. 혼자는 어렵지만 토론하면서 찾아갈 수 있습니다.

3

혼자 《수학의 발견》으로 공부할 때

혼자 공부할 때도 먼저 내 생각을 쓴 뒤에 《수학의 발견 해설서》에 있는 〈예상 답안〉을 확인해 보세요. 《수학의 발견》에 있는 탐구 활동은 대부분 답이 하나가 아니라 여러 가지일 수 있습니다. 그래서 가능한 많은 친구들의 답을 실었습니다. 여러분이 찾은 답과 일치할 수도 있고 약간 다를 수도 있습니다. 달라도 틀렸다고 생각하지 말고, 다른 답과 비교하며 수정 · 보완해 보세요.

▶ 이 책의 문제와 관련된 질문은 네이버에 있는 **《수학의 발견》** 카페 게시판에 올려 주세요.

이 책을 사용하는 선생님에게

1

2015 개정 교육과정에 맞춘 《수학의 발견》

《수학의 발견》은 2015 개정 교육과정이 요구하는 수학 교과 지식 체계 편성에 맞추어 구성하였습니다. 따라서 이 책으로만 수업해도 전혀 문제가 안 됩니다. 물론 학교에서 쓰는 수학 교과서와 함께 쓸 수도 있습니다. 선생님의 재량을 펼칠 수 있을 때는 이 책을 주로 활용하면서 기존 교과서를 보조 자료로 쓰고, 그렇지 않다면 꼭 필요한 부분만 뽑아 대안 교재로 활용할 수도 있습니다.

2

학생 참여 중심 수업을 위한 워크북과 꽉 찬 해설서

일반적인 교과서나 문제집을 생각하면 《수학의 발견》은 불편한 구조입니다. 학생 스스로 개념과 원리, 문제를 푸는 길을 발견하고 찾아내도록 유도하는 워크북 형태로 구성했기 때문입니다. 따라서 《수학의 발견》은 모둠별 수업 등 학생 참여 중심 수업을 적극적으로 도입해야 그 효과가 커집니다. 보다 상세한 설명이 필요하다면 해설서를 활용하면 됩니다.

3

우열을 가리지 않아도 되는 모둠 토론

모둠을 구성할 때, 수학 성적에 따라 학생들을 수준별로 편성하지 않고 뒤섞는 것이 좋습니다. 《수학의 발견》으로 수업할 경우, 수학 지식이 부족한 학생들도 자기 생각을 표현하고 창의적인 아이디어를 내며 얼마든지 모둠에 기여할 수 있습니다.

▶ 이 책으로 수업을 하는 선생님을 위해 네이버에 **《수학의 발견》** 카페를 준비했습니다.

길이의 비밀을 발견해 보자

1 건물의 높이 구하기

/1/ 건물의 높이를 알 수 있을까

새총으로 열매를 따려면 어느 각도로 쏴야 할까?
새총으로 밤송이를 떨어뜨려 보려고 합니다. 새총에서 밤송이까지를 직선으로 그리고 밤송이의 위치에서 땅까지를 수직으로 내린 직각삼각형을 그리고 새총의 각도를 정해 볼까요?
이 단원에서는 직각삼각형에서 나오는 각과 길이의 관계를 발견해 봅니다.

1 건물의 높이 구하기

수학자이자 천문학자인 히파르코스(Hipparchos, B.C. 190~125)는 천문학을 연구하면서 공 위에 있는 두 점 사이의 거리와 각의 크기를 측정할 필요성을 느꼈다고 합니다. 히파르코스는 삼각형에 숨겨진 특징을 이용하여 지구의 반지름의 길이, 지구에서 달까지의 거리 등을 구하였다고 하는데 삼각형의 어떤 비밀을 이용해서 거리를 구할 수 있었을까요? 삼각형 중 직각삼각형에는 길이에 대한 특별한 비밀이 숨겨져 있습니다. 게다가 직각삼각형은 크기에 관계없이 일정한 특성을 가지고 있습니다. 직각삼각형의 비밀을 함께 탐구해 볼까요?

이 단원에서는 직각삼각형의 닮음을 이용하여 세 변 중 두 변끼리의 길이의 비 사이에 숨겨진 비밀을 발견해 보고, 그 성질을 이용하여 삼각형의 변의 길이와 삼각형의 넓이를 구하는 방법 등을 탐구해 봅시다.

/ 1 / 건물의 높이를 알 수 있을까

개념과 원리 탐구하기 1

규리네 학교에서는 축제에 사용할 대형현수막을 제작하여 그림과 같이 학교 건물 외벽에 세로로 달아놓을 계획입니다. 학교 건물의 높이를 어떻게 측정하여 현수막을 주문해야 하는지 고민에 빠진 규리는 수학 동아리 친구들과 함께 문제를 해결하려고 합니다.

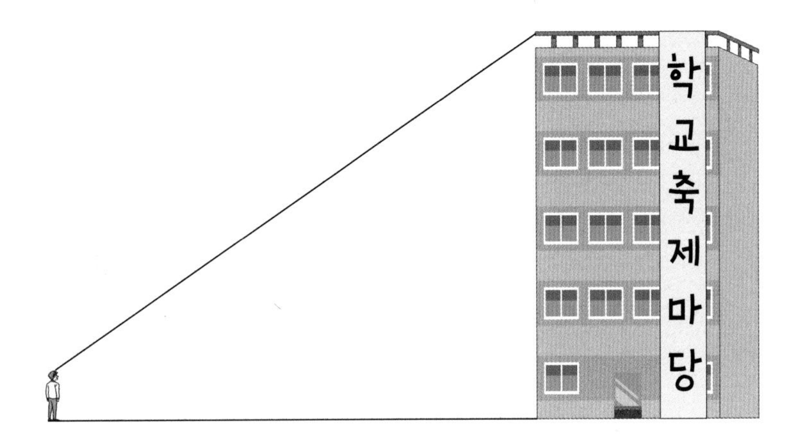

1 **학교 건물의 높이를 측정하기 위해 이전에 배운 내용 중 이용할 수 있는 수학 개념은 어떤 것이 있는지 생각해 보고 학교 건물의 높이를 측정하는 아이디어를 모둠에서 정리해 보자.**

개념과 원리 탐구하기 2

▌준비물 : 각도기, 자, 계산기

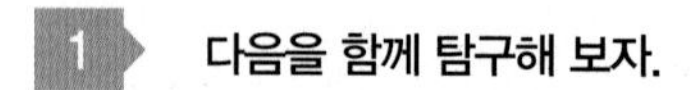

1 **다음을 함께 탐구해 보자.**

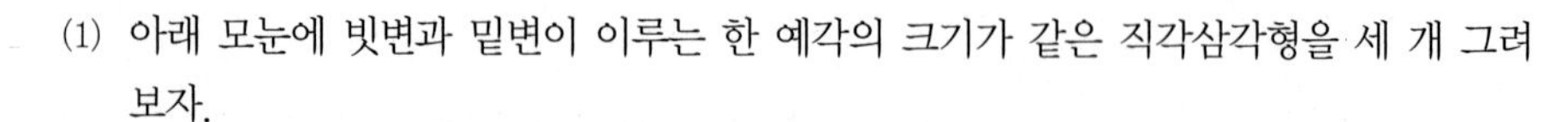

(1) 아래 모눈에 빗변과 밑변이 이루는 한 예각의 크기가 같은 직각삼각형을 세 개 그려 보자.

(2) (1)에서 그린 세 직각삼각형에서 발견할 수 있는 공통된 특징을 모두 써보자.

-
-
-
-

2 $\angle B=\angle E=\angle H$인 세 직각삼각형이 있습니다. 다음을 함께 탐구해 보자.

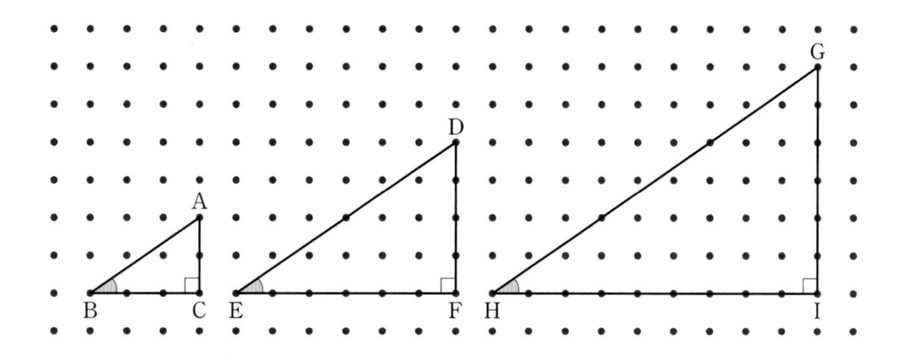

(1) 수현이가 한 말이 옳은지 그른지 판단하고 그렇게 생각한 이유를 써보자.

수현

어! 세 직각삼각형의 밑변에 대한 높이의 비율 $\frac{\overline{AC}}{\overline{BC}}$, $\frac{\overline{DF}}{\overline{EF}}$, $\frac{\overline{GI}}{\overline{HI}}$는 모두 같아. 아마 직각삼각형의 각 변의 길이를 두 배, 세 배뿐만 아니라 네 배, 다섯 배로 늘인 직각삼각형을 그려도 이 비율은 모두 같을 것 같아.

(2) 위 그림의 직각삼각형에서 수현이가 찾은 것 이외에 길이의 비가 같은 두 변이 더 있는지 모두 찾고 그렇게 생각한 이유를 써보자.

3 다음을 함께 탐구해 보자.

▌준비물 : 계산기

(1) 1 에서 그린 세 직각삼각형에서 두 변의 길이의 비율을 계산기로 계산해 보자.

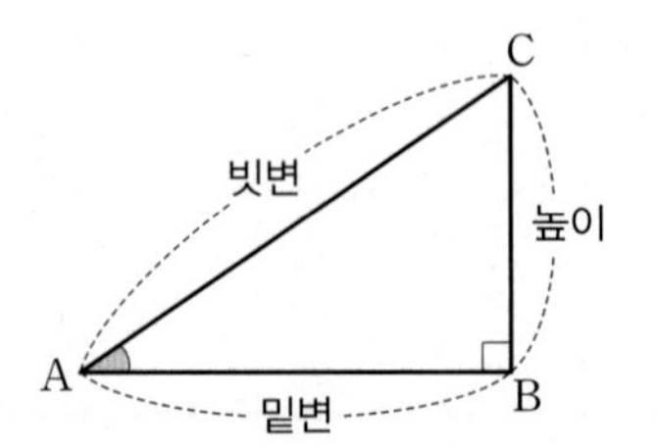

기준이 되는 각의 크기		삼각형 ❶	삼각형 ❷	삼각형 ❸
	① $\frac{(\text{높이})}{(\text{빗변})}$			
	② $\frac{(\text{밑변})}{(\text{빗변})}$			
	③ $\frac{(\text{높이})}{(\text{밑변})}$			

(2) 친구들과 표를 비교하여 직각삼각형에서 한 예각의 크기가 같을 때, 변들의 길이 사이의 비율은 어떤 특징이 있는지 추측하고 그렇게 생각한 이유를 써보자.

나의 생각	모둠의 의견

4 다음은 직각삼각형 ABC에서 ∠A의 크기가 정해지면 직각삼각형의 크기와 관계없이 변의 길이의 비가 일정하며, 그 중 세 가지를 기호로 나타내는 설명입니다. **2** 에서 내가 찾은 변의 길이 사이의 비율을 다음 세 가지 기호를 이용하여 나타내 보자.

$\dfrac{\overline{BC}}{\overline{AC}}$를 ∠A의 **사인**이라 하고 기호로 $\mathbf{sin}\ \boldsymbol{A}$,

$\dfrac{\overline{AB}}{\overline{AC}}$를 ∠A의 **코사인**이라 하고 기호로 $\mathbf{cos}\ \boldsymbol{A}$,

$\dfrac{\overline{BC}}{\overline{AB}}$를 ∠A의 **탄젠트**라 하고 기호로 $\mathbf{tan}\ \boldsymbol{A}$

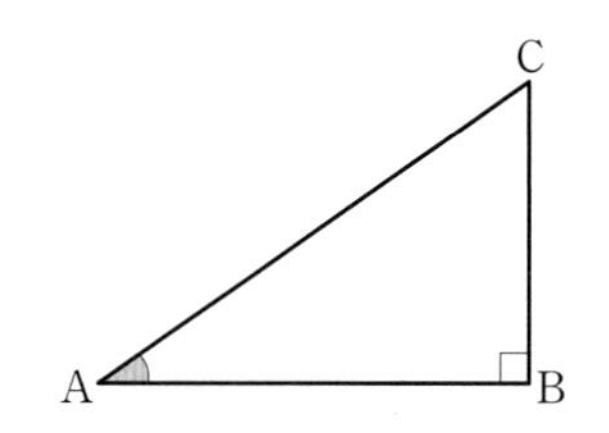

와 같이 나타냅니다.

그리고 $\sin A$, $\cos A$, $\tan A$를 통틀어 ∠A의 삼각비라고 합니다.

|참고| sin, cos, tan는 각각 sine, cosine, tangent의 약자이고, $\sin A$에서 A는 ∠A의 크기를 나타냅니다.

개념과 원리 탐구하기 3

▌준비물 : 자, 계산기

1 점 O를 중심으로 하고 $\overline{OA}$를 반지름으로 하는 사분원을 그린 후, 점 O를 중심으로 각의 크기가 50°인 반직선을 그려 사분원과 만나는 점을 C라고 할 때, 다음을 함께 탐구해 보자.

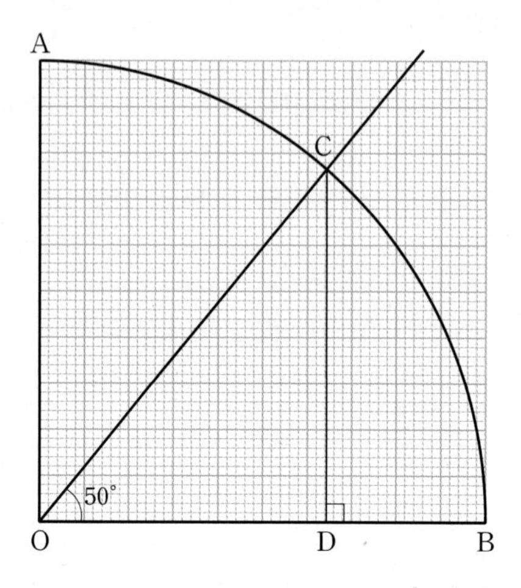

(1) 민지는 점 C에서 $\overline{OB}$에 내린 수선의 발을 점 D라 하고 삼각형 COD를 이용하여 50°에 대한 삼각비의 값을 구했습니다. 50°에 대한 삼각비의 값을 어떻게 구했을지 그 방법을 생각해 보고 삼각비의 값을 구해 보자.

(2) (1)에서 구한 값을 오른쪽 삼각비의 표에서 찾아 비교해 보자.

삼각비의 표

각도	sin	cos	tan	각도	sin	cos	tan
1°	0.0175	0.9998	0.0175	46°	0.7193	0.6947	1.0355
2°	0.0349	0.9994	0.0349	47°	0.7314	0.6820	1.0724
3°	0.0523	0.9986	0.0524	48°	0.7431	0.6691	1.1106
4°	0.0698	0.9976	0.0699	49°	0.7547	0.6561	1.1504
5°	0.0872	0.9962	0.0875	50°	0.7660	0.6428	1.1918
6°	0.1045	0.9945	0.1051	51°	0.7771	0.6293	1.2349
7°	0.1219	0.9925	0.1228	52°	0.7880	0.6157	1.2799
8°	0.1392	0.9903	0.1405	53°	0.7986	0.6018	1.3270
9°	0.1564	0.9877	0.1584	54°	0.8090	0.5878	1.3764
10°	0.1736	0.9848	0.1763	55°	0.8192	0.5736	1.4281
11°	0.1908	0.9816	0.1944	56°	0.8290	0.5592	1.4826
12°	0.2079	0.9781	0.2126	57°	0.8387	0.5446	1.5399
13°	0.2250	0.9744	0.2309	58°	0.8480	0.5299	1.6003
14°	0.2419	0.9703	0.2493	59°	0.8572	0.5150	1.6643
15°	0.2588	0.9659	0.2679	60°	0.8660	0.5000	1.7321
16°	0.2756	0.9613	0.2867	61°	0.8746	0.4848	1.8040
17°	0.2924	0.9563	0.3057	62°	0.8829	0.4695	1.8807
18°	0.3090	0.9511	0.3249	63°	0.8910	0.4540	1.9626
19°	0.3256	0.9455	0.3443	64°	0.8988	0.4384	2.0503
20°	0.3420	0.9397	0.3640	65°	0.9063	0.4226	2.1445
21°	0.3584	0.9336	0.3839	66°	0.9135	0.4067	2.2460
22°	0.3746	0.9272	0.4040	67°	0.9205	0.3907	2.3559
23°	0.3907	0.9205	0.4245	68°	0.9272	0.3746	2.4751
24°	0.4067	0.9135	0.4452	69°	0.9336	0.3584	2.6051
25°	0.4226	0.9063	0.4663	70°	0.9397	0.3420	2.7475
26°	0.4384	0.8988	0.4877	71°	0.9455	0.3256	2.9042
27°	0.4540	0.8910	0.5095	72°	0.9511	0.3090	3.0777
28°	0.4695	0.8829	0.5317	73°	0.9563	0.2924	3.2709
29°	0.4848	0.8746	0.5543	74°	0.9613	0.2756	3.4874
30°	0.5000	0.8660	0.5774	75°	0.9659	0.2588	3.7321
31°	0.5150	0.8572	0.6009	76°	0.9703	0.2419	4.0108
32°	0.5299	0.8480	0.6249	77°	0.9744	0.2250	4.3315
33°	0.5446	0.8387	0.6494	78°	0.9781	0.2079	4.7046
34°	0.5592	0.8290	0.6745	79°	0.9816	0.1908	5.1446
35°	0.5736	0.8192	0.7002	80°	0.9848	0.1736	5.6713
36°	0.5878	0.8090	0.7265	81°	0.9877	0.1564	6.3138
37°	0.6018	0.7986	0.7536	82°	0.9903	0.1392	7.1154
38°	0.6157	0.7880	0.7813	83°	0.9925	0.1219	8.1443
39°	0.6293	0.7771	0.8098	84°	0.9945	0.1045	9.5144
40°	0.6428	0.7660	0.8391	85°	0.9962	0.0872	11.4301
41°	0.6561	0.7547	0.8693	86°	0.9976	0.0698	14.3007
42°	0.6691	0.7431	0.9004	87°	0.9986	0.0523	19.0811
43°	0.6820	0.7314	0.9325	88°	0.9994	0.0349	28.6363
44°	0.6947	0.7193	0.9657	89°	0.9998	0.0175	57.2900
45°	0.7071	0.7071	1.0000				

2 **다음을 함께 탐구해 보자.**

(1) 각의 크기가 변하면 사인, 코사인, 탄젠트의 값이 어떻게 변하는지 삼각비의 표를 보고 규칙을 찾아 써보자.

•
•
•
•
•
•

(2) 오른쪽 그림을 이용하여 각의 크기가 변하면 사인, 코사인, 탄젠트의 값이 어떻게 변하는지 생각해 보고 규칙을 찾아 써보자.

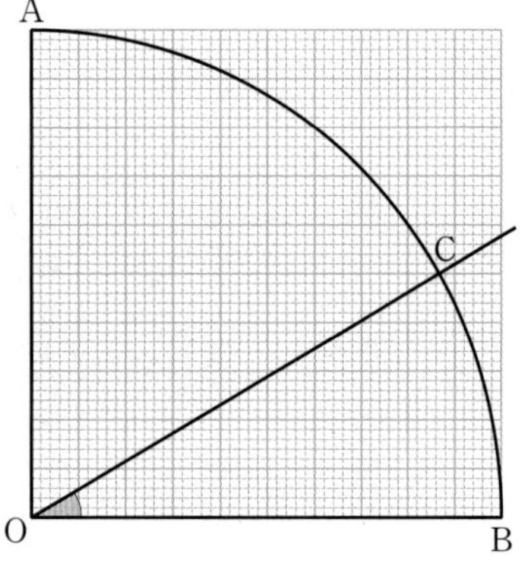

•
•
•
•
•
•

(3) 위 결과를 통해 0°, 90°에 대한 삼각비의 값이 어떻게 될지 추측해 보자.

•
•
•
•
•
•

개념과 원리 탐구하기 4

▌준비물 : 자

피타고라스 정리

직각삼각형에서 직각을 낀 두 변의 길이를 각각 a, b, 빗변의 길이를 c라고 하면 $a^2+b^2=c^2$이다.

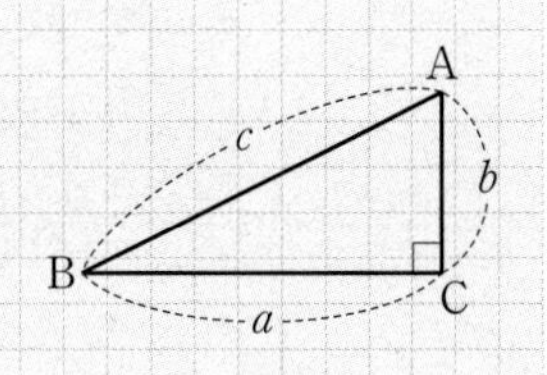

1 다음을 함께 탐구해 보자.

(1) [삼각자 1]은 정사각형을 반으로 자른 직각이등변삼각형 모양입니다. 이 직각이등변삼각형에서 세 각의 크기를 구하고, 피타고라스 정리를 이용하여 세 변의 길이의 비를 구해 보자.

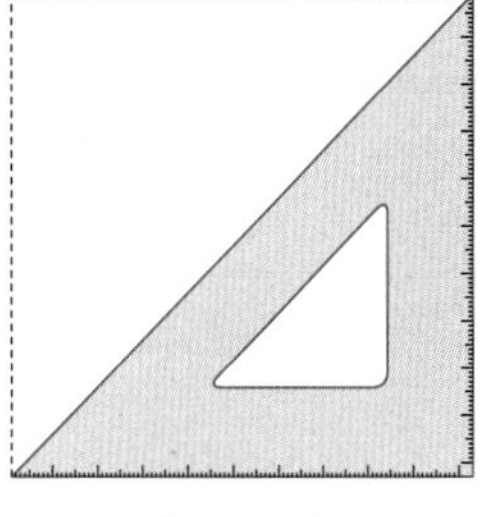
[삼각자 1]

(2) [삼각자 2]는 정삼각형을 반으로 자른 모양입니다. 이 직각삼각형에서 세 각의 크기를 구하고, 피타고라스 정리를 이용하여 세 변의 길이의 비를 구해 보자.

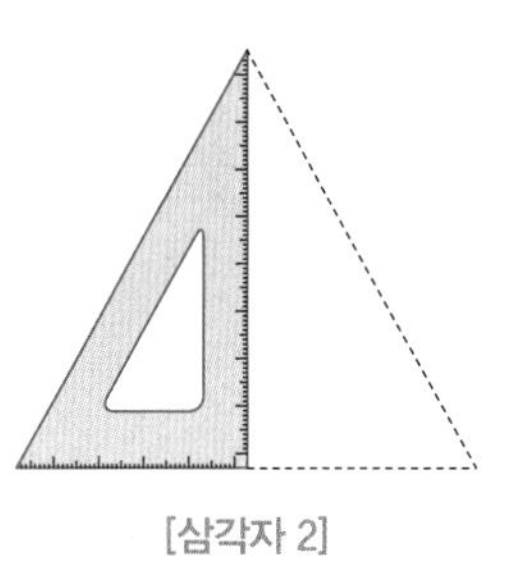
[삼각자 2]

2 **1** 의 결과를 이용하여 삼각비의 표가 없어도 구할 수 있는 삼각비의 값을 모두 구해 보자.

개념과 원리 탐구하기 5

탐구하기 1에서 규리네 학교 축제에 사용할 대형현수막을 주문하기 위해 학교 건물의 높이를 측정하는 아이디어를 나누었습니다. 학교 건물 꼭대기를 올라가지 않고 학교 건물의 높이를 측정하려고 할 때 어떤 원리가 활용될까요?

1 **다음을 함께 탐구해 보자.**

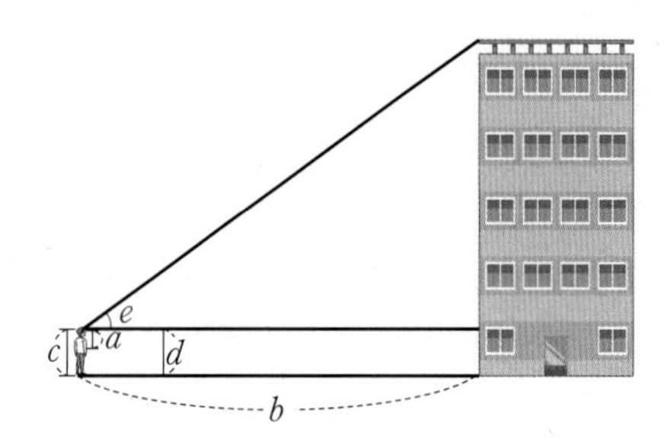

[측정 대상]

a: 학생의 팔의 길이
b: 발끝부터 학교 건물까지의 거리
c: 학생의 키
d: 눈 높이
e: 눈에서 학교 건물 꼭대기를 올려다 본 각도

(1) 위 예시에 있는 측정 대상들 중 어떤 것을 측정하면 학교 건물의 높이를 구할 수 있을지 생각해 보자.

• 내가 선택한 측정 대상: ______________________

• 학교 건물의 높이 구하는 방법: ______________________

____

(2) 측정 대상들의 측정값이 표와 같을 때 위에서 구한 방법을 이용하여 학교 건물의 높이를 구해 보자.

측정 대상	측정 결과
a: 학생의 팔의 길이	0.5 m
b: 발끝부터 학교 건물까지의 거리	20 m
c: 학생의 키	1.6 m
d: 눈 높이	1.5 m
e: 눈에서 학교 건물 꼭대기를 올려다 본 각도	35°

개념과 원리 탐구하기 6

▌준비물 : 각도기

1 승원이는 한 변의 길이가 3인 정육각형의 넓이를 구하려고 합니다. 어떤 방법으로 넓이를 구할 수 있는지 써보자.

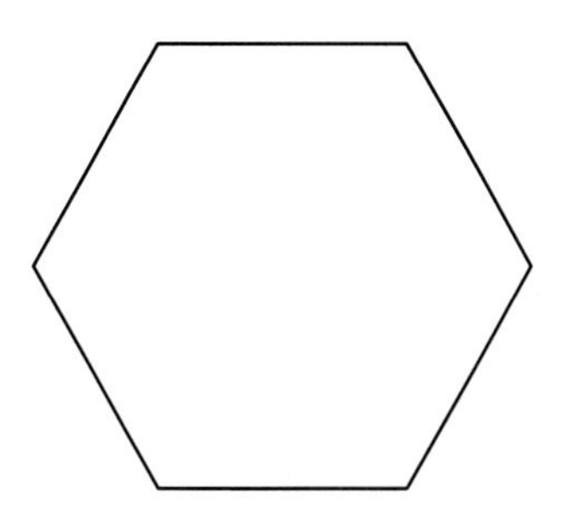

2 지혜는 다음 삼각형의 높이를 직접 측정하지 않고 각도기와 삼각비의 표를 이용하여 삼각형의 넓이를 구하려고 합니다. 삼각형의 넓이를 구하기 위해 필요한 각을 선택하여 그 크기를 재 보자. 그리고 이를 이용하여 삼각형의 넓이를 구하는 방법을 써보자.

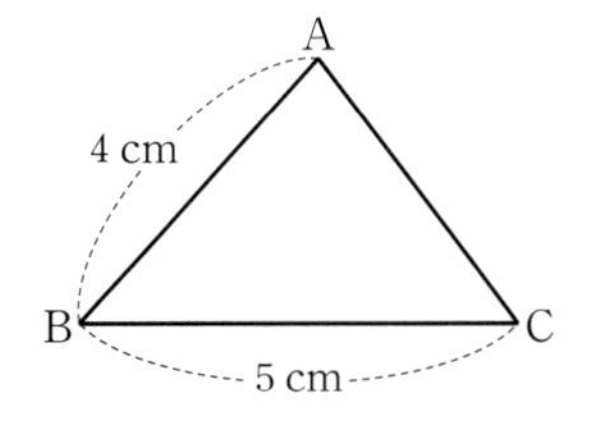

각도	사인(sin)	코사인(cos)	탄젠트(tan)
45°	0.7071	0.7071	1.0000
46°	0.7193	0.6947	1.0355
47°	0.7314	0.6820	1.0724
48°	0.7431	0.6691	1.1106
49°	0.7547	0.6561	1.1504
50°	0.7660	0.6428	1.1918

탐구 되돌아보기

1 **$\sin 48^\circ = 0.7431$이라는 값의 뜻을 설명해 보자.**

2 **종식이는 특수한 각에 대한 삼각비의 값을 정리해 보려고 합니다. 다음을 함께 탐구해 보자.**

(1) 표의 빈칸을 채워 보자.

A	0°	30°	45°	60°	90°
$\sin A$					
$\cos A$					
$\tan A$					

(2) 위의 표에서 나온 삼각비의 값이 그렇게 나온 이유를 삼각형을 그려서 설명해 보자.

3 노준이는 반지름의 길이가 1인 사분원을 이용하여 40°에 대한 삼각비의 값을 구하려고 합니다. 다음을 함께 탐구해 보자.

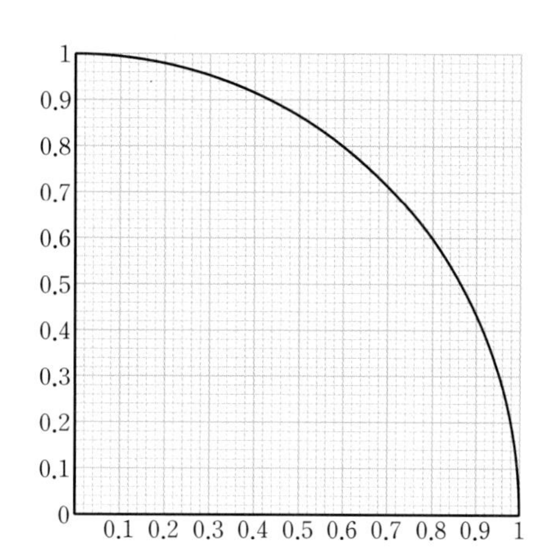

(1) 각도기와 자를 이용하여 40°에 대한 삼각비의 값을 구하고 그렇게 구한 이유를 써보자.

(2) 노준이가 반지름의 길이가 1인 원을 이용한 이유에 대해 생각해 보자.

4 **하진이는 가족 여행을 가다가 도로에서 그림과 같은 표지판을 보았습니다. 경사도가 10 %라는 뜻은 수평거리로 100 m 이동할 때 높이가 10 m 높아진다는 뜻입니다. 다음을 함께 탐구해 보자.**

(1) 도로의 경사도와 관련된 삼각비는 무엇일지 생각하고 그렇게 생각한 이유를 써보자.

(2) 이 도로가 수평면과 이루는 경사각을 ∠A라고 할 때, 삼각비의 표를 이용하여 ∠A의 크기를 대략적으로 구해 보자. (단, 19쪽 **탐구하기 3**의 삼각비의 표를 이용합니다.)

5 **은애는 스마트폰의 클리노미터 앱을 이용하여 아파트 옥상을 쳐다 보니 추가 가리키는 각의 크기가 41.9°였습니다. 은애의 눈에서 옥상 끝을 올려다 본 각의 크기는 몇 도인지 아래 그림을 이용하여 설명해 보자.**

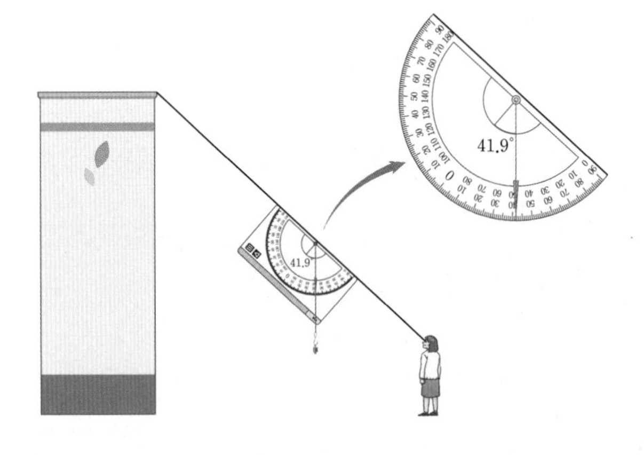

내가 만드는 수학 이야기

6 다음 용어 중 몇 개를 포함하여 삼각비에 대한 이야기를 만들어 보자.

용어
비, 비율, 삼각비, 사인, 코사인, 탄젠트, 높이, 넓이

제 목

개념과 원리 연결하기

1 **삼각비의 표를 보고 다음 직각삼각형의 넓이를 구할 수 있다는 민수의 주장에 대한 자신의 생각을 써보자.**

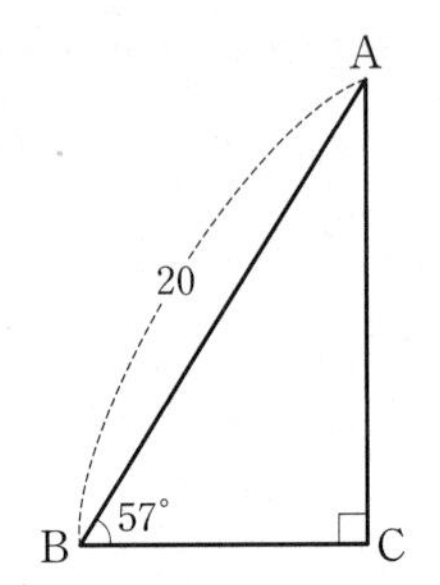

각	사인(sin)	각	사인(sin)	각	사인(sin)
30°	0.5000	40°	0.6428	50°	0.7660
31°	0.5150	41°	0.6561	51°	0.7771
32°	0.5299	42°	0.6691	52°	0.7880
33°	0.5446	43°	0.6820	53°	0.7986
34°	0.5592	44°	0.6947	54°	0.8090
35°	0.5736	45°	0.7071	55°	0.8192
36°	0.5878	46°	0.7193	56°	0.8290
37°	0.6018	47°	0.7314	57°	0.8387
38°	0.6157	48°	0.7431	58°	0.8480
39°	0.6293	49°	0.7547	59°	0.8572

나의 첫 생각

다른 친구들의 생각

정리된 나의 생각

2 삼각비의 개념을 정리해 보자.

(1) 이 단원에서 알게 된 삼각비의 뜻, 성질 등을 모두 정리해 보자.

(2) 삼각비와 연결된 개념을 복습해 보자. 그리고 제시된 개념과 삼각비 사이의 연결성을 찾아 모둠에서 함께 정리해 보자.

삼각비와 연결된 개념	각 개념의 뜻과 삼각비의 연결성
• 삼각형의 성질 • 도형의 닮음 • 이등변삼각형의 성질 • 피타고라스 정리	

Discover the truth : 정상 도착!

수학 학습원리 완성하기

우진이는 다음과 같은 방법으로 15쪽 탐구하기 2 2 를 해결하기 위한 자기 사고 과정을 다음과 같은 방법으로 설명했습니다.

내가 선택한 탐구 과제

2 $\angle B = \angle E = \angle H$인 세 직각삼각형이 있습니다. 다음을 함께 탐구해 보자.

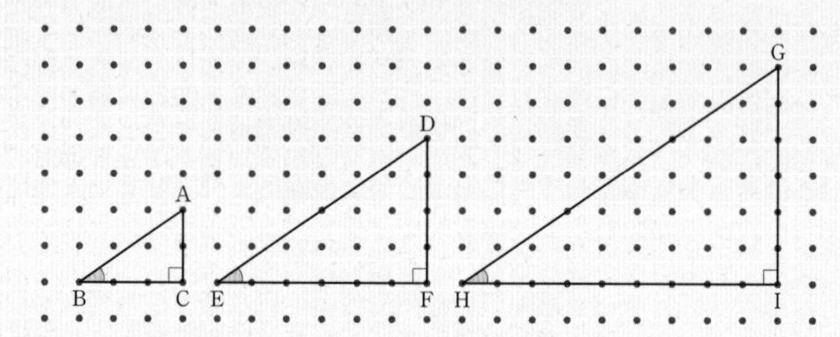

(1) 수현이가 한 말이 옳은지 그른지 판단하고 그렇게 생각한 이유를 써보자.

수현

어! 세 직각삼각형의 밑변에 대한 높이의 비율 $\frac{\overline{AC}}{\overline{BC}}$, $\frac{\overline{DF}}{\overline{EF}}$, $\frac{\overline{GI}}{\overline{HI}}$는 모두 같아.
아마 직각삼각형의 각 변의 길이를 두 배, 세 배뿐만 아니라 네 배, 다섯 배로 늘인 직각삼각형을 그려도 이 비율은 모두 같을 것 같아.

우진이의 깨달음

처음에는 직각삼각형의 각 변의 길이를 두 배, 세 배 늘이면 밑변에 대한 높이의 비율이 모두 같을 것 같다는 의견에 동의했는데, 그 이유는 정확히 설명하기 어려웠다. 닮음인 두 삼각형의 길의 비가 일정하다는 성질을 모둠에서 친구들과 이야기하면서 깨달았다. 직각이 아닌 다른 한 각이 정해지면 $\frac{\text{높이}}{\text{빗변}}$의 값은 항상 일정하다는 것을 이제는 확실히 이해되었다.

수학 학습원리

학습원리 5. 여러 가지 수학 개념 연결하기

1 우진이의 설명에서 다른 수학 학습원리를 발견할 수 있는지 찾아보자.

2 우진이가 한 것처럼 이 단원의 다른 탐구 과제를 선택하여 해결하는 사고 과정을 설명해 보고 사용한 수학 학습원리를 찾아보자.

내가 선택한 탐구 과제

나의 깨달음

수학 학습원리

수학 학습원리

1. 끈기 있는 태도와 자신감 기르기
2. 관찰하는 습관을 통해 규칙성 표현하기
3. 수학적 추론을 통해 자신의 생각 설명하기
4. 수학적 의사소통 능력 기르기
5. 여러 가지 수학 개념 연결하기

STAGE 5

원 속 세상을 들여다 보자

1 원래 모양 찾기

/1/ 깨진 모양 복원하기

2 원 속의 각

/1/ 똑같은 각을 찾아보자

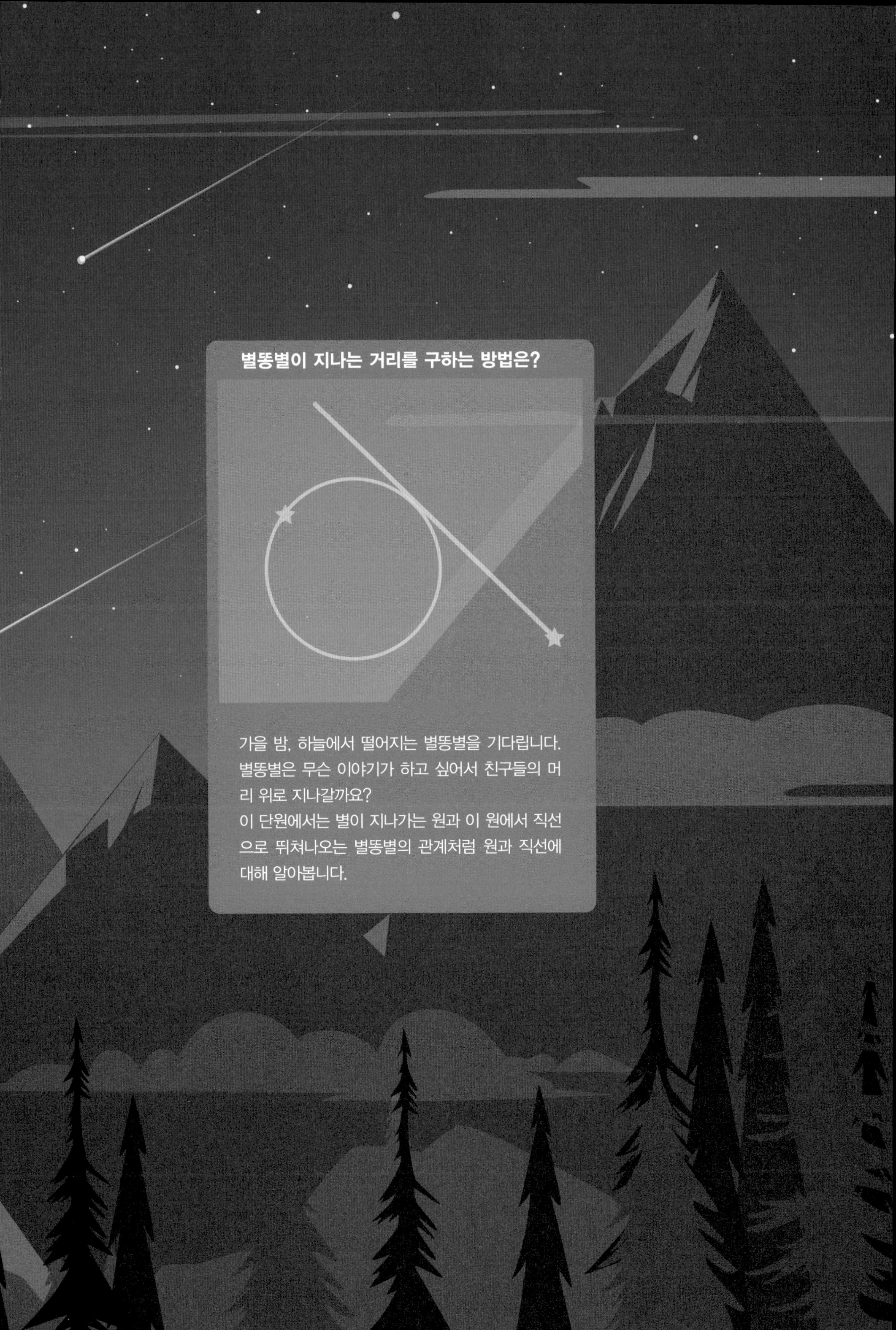
별똥별이 지나는 거리를 구하는 방법은?
가을 밤, 하늘에서 떨어지는 별똥별을 기다립니다. 별똥별은 무슨 이야기가 하고 싶어서 친구들의 머리 위로 지나갈까요?
이 단원에서는 별이 지나가는 원과 이 원에서 직선으로 뛰쳐나오는 별똥별의 관계처럼 원과 직선에 대해 알아봅니다.

1 원래 모양 찾기

해와 보름달처럼 원은 자연에서 쉽게 찾아볼 수 있습니다. 원은 어느 방향으로나 대칭적이고 폭이 일정한 특수한 곡선으로 모가 난 부분이 없고 매끄럽습니다.

고대 그리스의 수학자들은 원과 구의 아름다운 모습에 감격해서 그 아름다움을 우주의 창조와 결부하여 생각했다고 합니다. 또한 원은 옛날부터 우리의 생활에서 사용되고 있으며 미적으로나 실용적으로나 현대 문명에서 없어서는 안될 중요한 개념으로 사용되어 왔습니다. 음료수 캔의 밑면의 모양, 맨홀의 뚜껑의 모양, 바퀴와 같은 교통수단의 중요한 부속 등 원을 이용한 도구들은 실생활에서 유용한 발명품입니다.

이 단원에서는 원과 현의 관계와 원과 접선의 관계를 살펴봄으로써 원의 여러 가지 특징적인 성질을 발견해 봅시다. 또 발견한 원의 성질을 이용하여 깨진 원의 조각만으로 원래 원 모양을 복원하는 방법을 찾아봅시다.

/ 1 / 깨진 모양 복원하기

개념과 원리 탐구하기 1

1 **다음을 함께 탐구해 보자.**

(1) 원에 대하여 지금까지 배운 내용을 다음 용어를 사용하여 그림에 각각 표시해 보자.

용어
중심각, 호, 현, 수선, 수선의 발, 현의 수직이등분선, 각의 이등분선, 접선, 접점, 외심, 외접, 외접원, 내심, 내접, 내접원

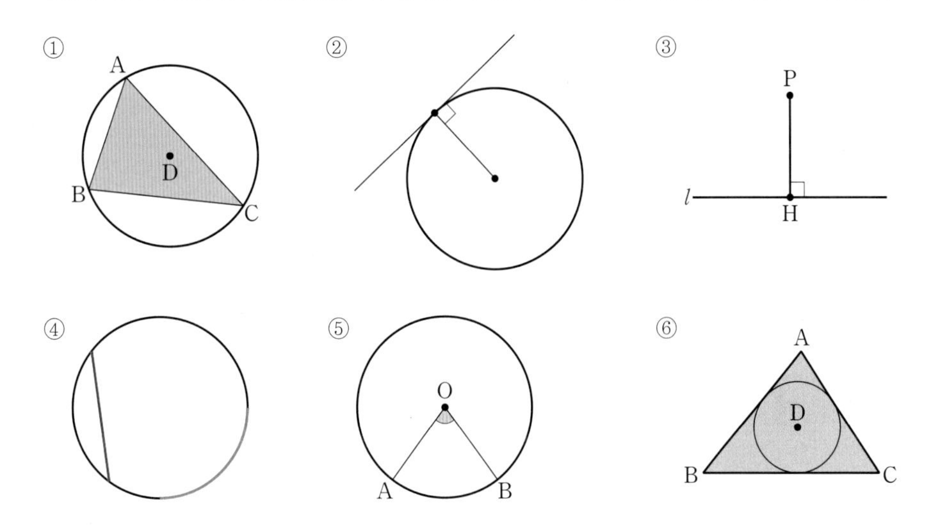

(2) 모둠 친구들과 원의 현이나 접선에 대한 성질만 모아서 세 가지 이상 정리해 보자.

개념과 원리 탐구하기 2

▌준비물 : 자

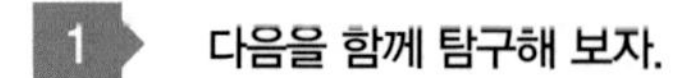

(1) 다음 순서대로 원에 그림을 그리고 원의 중심에서 현에 내린 수선과 관련해 발견한 사실을 써보자.

① 중심이 O인 원에 지름이 아닌 현 AB를 그립니다.
② 중심 O에서 현 AB에 내린 수선의 발을 M이라고 합니다.
③ 두 반지름 OA, OB를 그립니다.

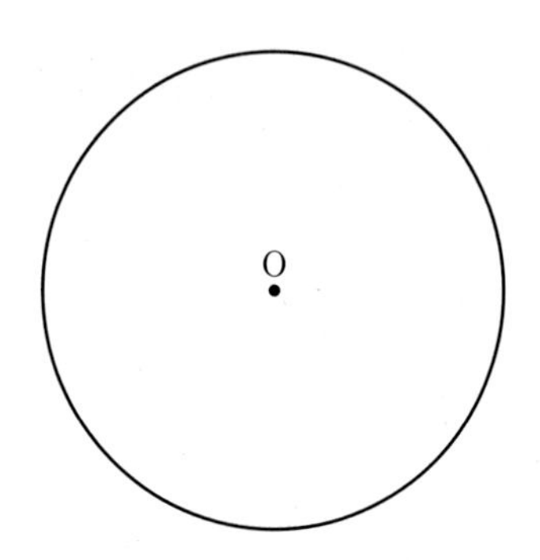

나의 생각	모둠의 의견

(2) (1)에서 그린 그림의 실제 길이를 측정하여 다음 현주의 주장에 대해서 옳고 그름을 판단해 보고 기호를 이용하여 현주의 주장이 옳은지 그른지 논리적으로 설명해 보자.

현주 원의 중심에서 현에 내린 수선은 그 현을 이등분할거야.

2 다음을 함께 탐구해 보자.

(1) 네 선분 ①~④를 연장했을 때 원의 중심을 지나는 것을 선택하고 그 이유를 써보자.

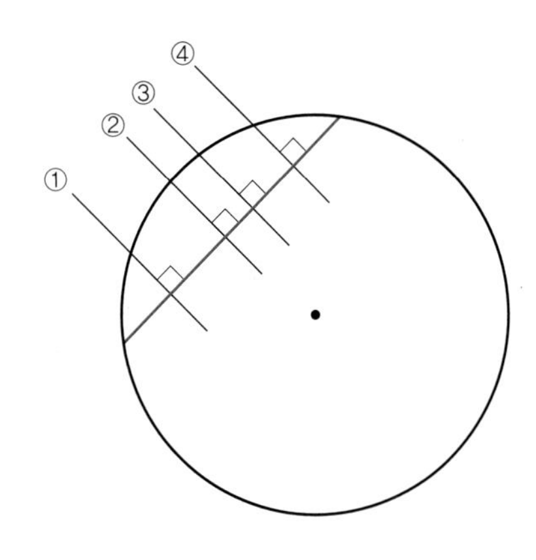

(2) 그림과 같이 길이가 서로 다른 두 현 각각의 수직이등분선은 어디에서 만날지 그림을 그리고 그 이유를 써보자.

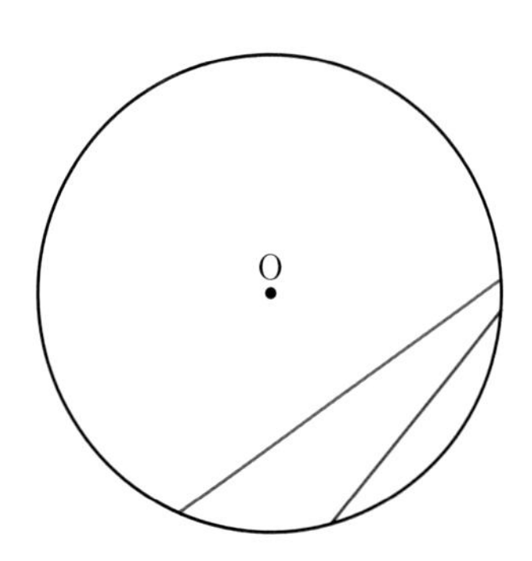

개념과 원리 탐구하기 3

▌준비물 : 자

스트링아트란 직선만을 사용해 곡선처럼 보이는 선으로 이루어진 예술 작품을 만드는 것으로 '라인디자인' 또는 '직선미술'이라고도 합니다.

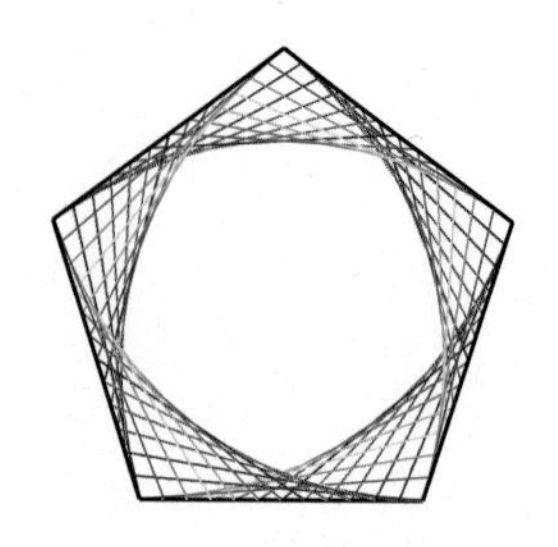

1 **다음을 함께 탐구해 보자.**

(1) 한 원 위에 있는 32개의 각 점 사이의 간격은 모두 똑같습니다. 주어진 방법대로 아래 그림에 선분을 연결해 보자.

[연결하는 방법]

① 점 1과 점 8을 선분으로 연결합니다.
② 점 2와 점 9를 선분으로 연결합니다.
③ 나머지도 같은 방법으로 선분으로 이어 한 바퀴를 돌립니다.

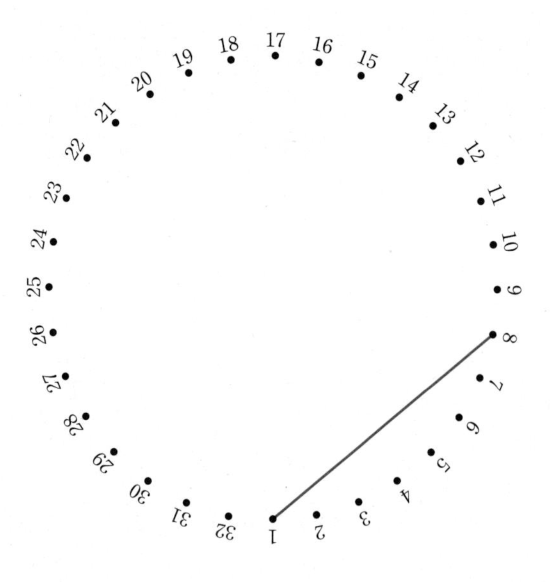

(2) 선분을 모두 연결했을 때 나타나는 도형이 무엇인지 쓰고, 그런 모양이 나타나는 이유를 추측해 보자.

2 신영이는 이런 모양이 나타나는 이유에 대하여 다음과 같이 설명했습니다. 신영이의 말이 옳은지 그른지 판단하고 그렇게 생각한 이유를 기호를 사용하여 논리적으로 설명해 보자.

(단, M, N은 원의 중심 O에서 두 현 AB, CD 각각에 내린 수선의 발입니다.)

신영 같은 규칙으로 선을 그었으니까 빨간 색 두 현의 길이는 같겠지? 그러면 원의 중심에서 두 현까지의 거리도 같을 것 같아.

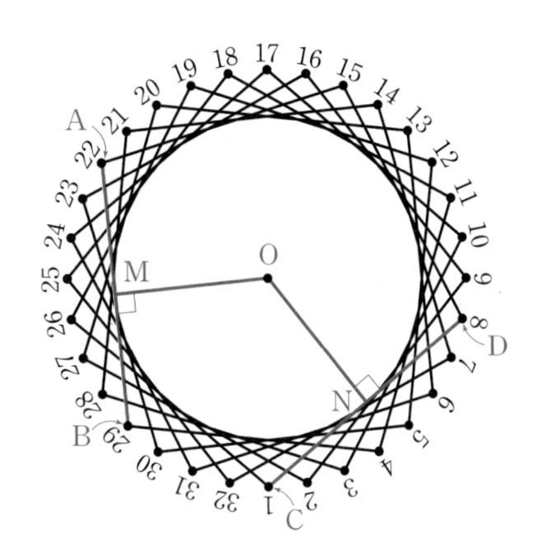

3 다음을 함께 탐구해 보자.

(1) 윤혜의 주장을 오른쪽 원에 나타내고, 자를 이용하여 이 주장이 옳은지 확인해 보자.

윤혜 이 원에서 두 현이 원의 중심으로부터 같은 거리에 있다면, 두 현의 길이는 같을 거야.

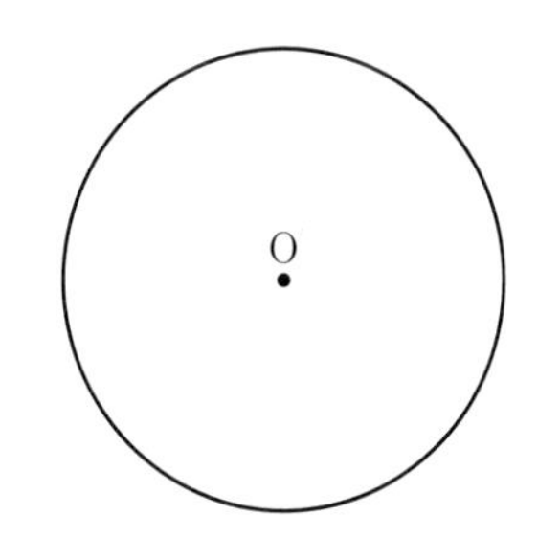

(2) 윤혜의 주장이 항상 옳은지 판단해 보자. 만약 항상 옳지 않다면 그렇게 생각한 이유를 예를 들어 설명하고, 항상 옳다면 그 이유를 논리적으로 설명해 보자.

개념과 원리 탐구하기 4

▌준비물 : 컴퍼스, 자

삼각형의 세 꼭짓점을 지나는 원을 외접원이라 하고, 그 원의 중심을 외심이라고 합니다.

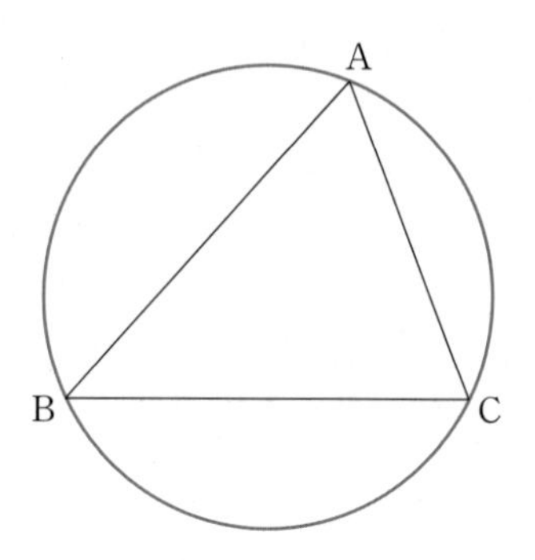

(1) 위의 그림에서 외심 O를 나타내 보고 외심 O의 위치를 찾는 방법을 설명해 보자.

(2) 위의 그림에서 삼각형의 각 변을 외접원의 현이라고 볼 수 있습니다. (1)을 이용하여 현의 수직이등분선의 성질과 외심의 뜻을 연결하여 설명해 보자.

2 그림은 통일신라시대의 얼굴무늬 수막새의 일부입니다. 이 얼굴무늬 수막새의 본래 상태의 원 모양을 복원하려고 그림과 같이 두 개의 현을 그렸습니다.

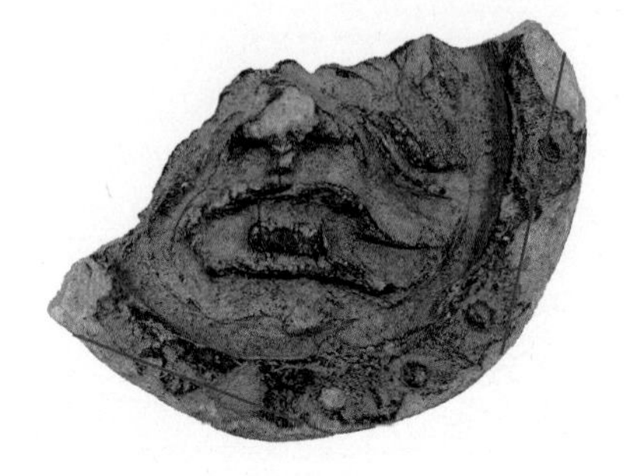

(1) 이 두 현을 이용하여 원 모양을 복원해 보자.

(2) (1)과 같이 했을 경우, 원의 중심을 찾을 수 있는 이유를 논리적으로 설명해 보자.

(3) 얼굴무늬 수막새의 본래 원 모양을 복원할 수 있는 이유를 논리적으로 설명해 보자.

3 **삼각형의 세 변에 접하는 원을 내접원이라 하고, 그 원의 중심을 내심이라고 합니다.**

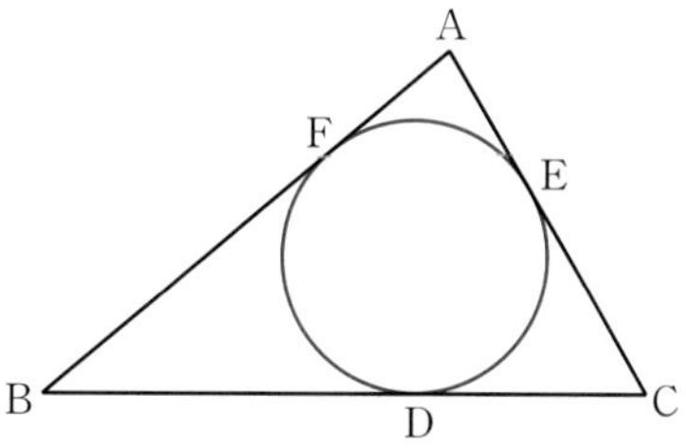

A
F
E
B
D
C

(1) 위의 그림의 삼각형 ABC에서 세 점 D, E, F는 삼각형과 원의 접점입니다. 삼각형 ABC의 내심 I를 나타내 보고 내심 I의 위치를 찾는 방법을 설명해 보자.

(2) 위의 삼각형의 세 변은 내접원의 접선이라고 볼 수 있습니다. (1)을 이용하여 원 밖의 한 점에서 그 원에 그은 접선의 성질을 추측하고 그렇게 생각한 이유를 써보자.

개념과 원리 탐구하기 5

인공위성은 로켓을 사용하여 대기권 밖으로 쏘아 올려 주로 지구 둘레의 원 또는 타원 궤도를 위성처럼 비행하는 인공의 물체입니다. 아래 그림처럼 인공위성이 지구 주위를 돌고 있다고 가정해 보자.

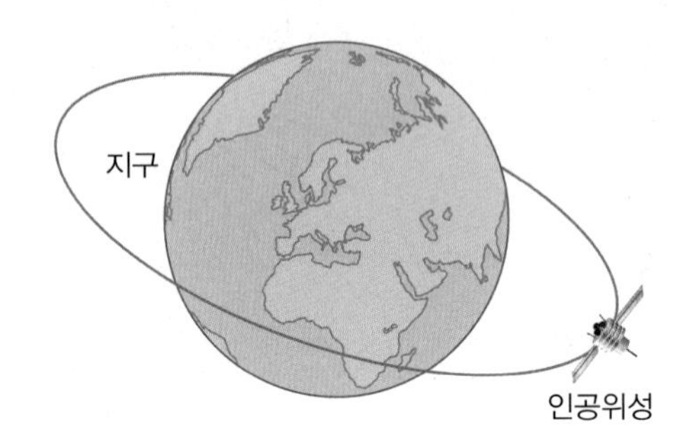

1 다음을 함께 탐구해 보자.

(1) 인공위성에서 바라볼 수 있는 지구 위의 가장 먼 지점은 몇 군데가 있을지 말해 보자.

(2) 인공위성과 (1)에서 찾은 지점까지의 거리를 구하는 방법을 정리해 보자.

(3) 지구의 반지름의 길이를 6000 km라 가정하고 인공위성이 지구로부터 4000 km 떨어져 있다고 가정한다면 인공위성에서 볼 수 있는 지구의 가장 먼 지점과 인공위성 사이의 거리는 얼마인지 구해 보고 그 방법을 설명해 보자.

탐구 되돌아보기

1 오른쪽 그림에서 $\overline{AB}$와 $\overline{CD}$는 원 O의 현이고 $\overline{OM}=\overline{ON}$입니다. 다음 중 옳은 것에는 ○표, 옳지 않은 것에는 ×표를 해 보자.

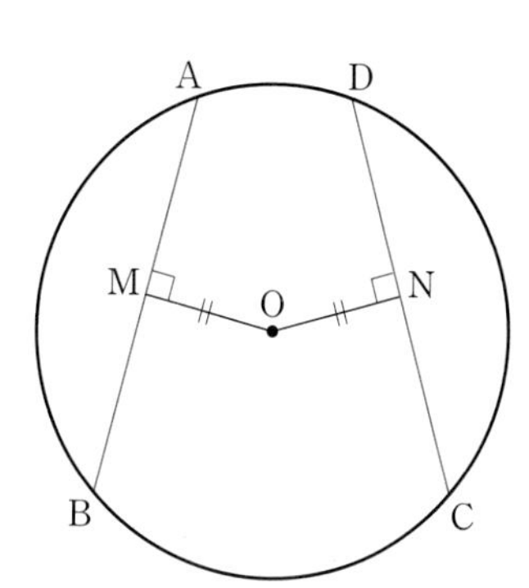

(1) $\overline{AB}=\overline{CD}$ ( )

(2) $\overline{CN}=\overline{DN}$ ( )

(3) $2\overline{AM}=\overline{CD}$ ( )

(4) $\overline{AM}=\overline{OM}$ ( )

2 오른쪽 그림에서 틀린 부분이 있다면 찾고 그 이유를 설명해 보자.

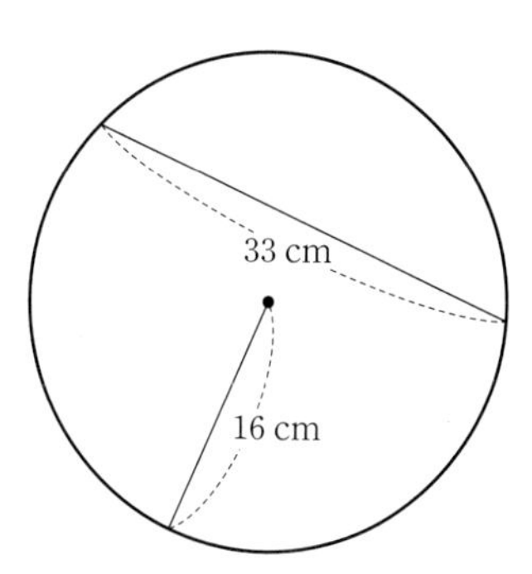

3 오른쪽 원에서 길이가 서로 다른 두 개의 현 중에서 원의 중심으로부터 더 가까이에 있는 현을 선택하고 그 이유를 설명해 보자.

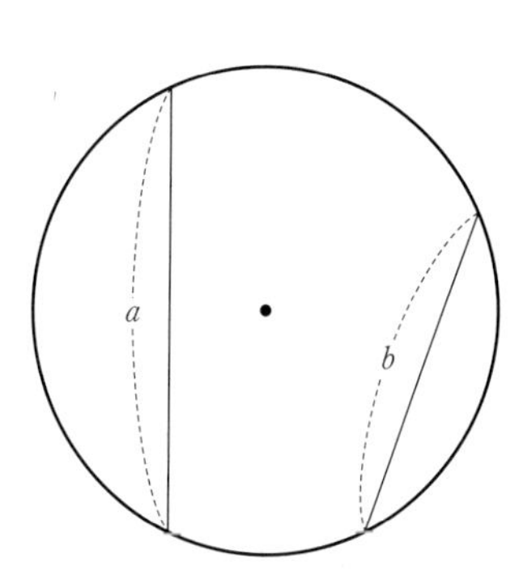

4 운동장이나 놀이터에서 사진과 같은 폐타이어를 종종 볼 수 있습니다. 폐타이어 중 한 개가 파손되어 똑같은 크기의 다른 것으로 교체하려고 할 때, 땅 위에 보이는 타이어의 일부분만을 보고 타이어의 반지름의 길이를 구하는 방법에 대하여 설명해 보자.

5 오른쪽 그림과 같은 삼각형 ABC의 외접원을 그릴 수 있는지 판단해 보고 이유를 설명해 보자.

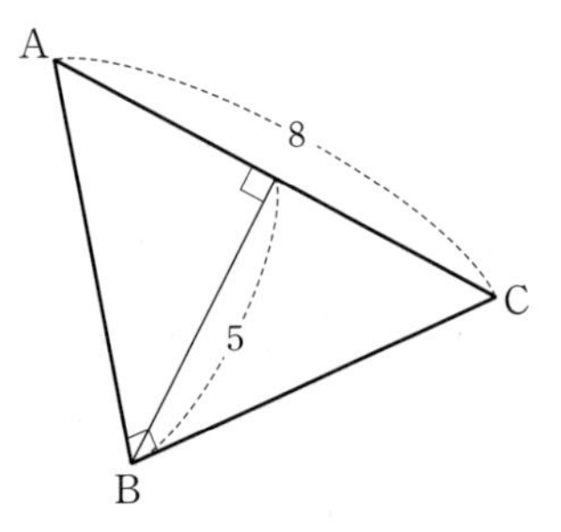

6 오른쪽 그림에서 원 O가 사각형 ABCD의 각 변과 네 점 P, Q, R, S에서 접할 때, $\overline{AB}+\overline{CD}=\overline{AD}+\overline{BC}$가 성립하는지 판단해 보자.

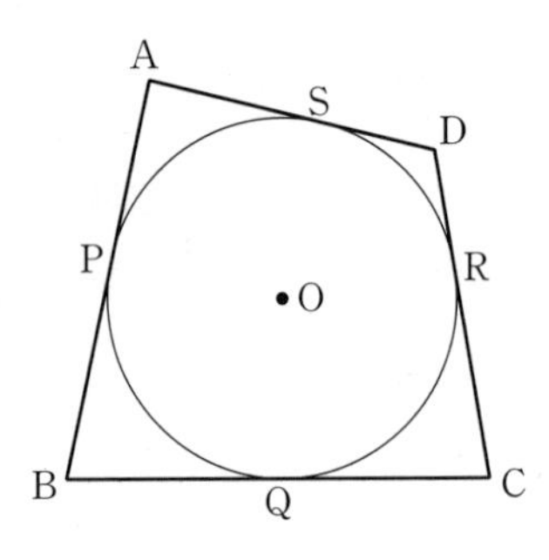

7 오른쪽 그림에서 두 점 A, B는 점 P에서 원 O에 그은 두 접선의 접점입니다. $\overline{OA}=3$ cm, $\overline{OP}=13$ cm일 때, 사각형 APBO의 넓이를 구해 보자.

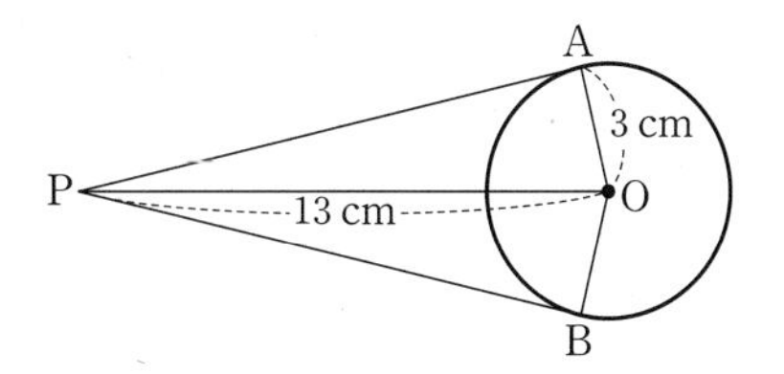

내가 만드는 수학 이야기

8 그림과 같이 젓가락으로 구 모양의 만두를 터트리지 않고 들고 있는 승준이는 원의 성질과 관련한 수학적 발견을 했다고 합니다. 이 발견이 무엇일지 이야기를 만들어 보자.

제 목

2 원 속의 각

독일의 수학자 아담 리제(Adam Riese, 1492~1559)는 설계도를 그리는 도안공과 자와 컴퍼스만 가지고 누가 더 많은 직각을 그릴 수 있는지 시합을 하여 이겼습니다. 도안공은 직각을 그리는 것을 직업으로 하기 때문에 보통 사람들보다 훨씬 정확하고 빠르게 직각을 그리는 사람이었습니다. 아담 리제는 이런 도안공을 어떻게 이길 수 있었을까요? 아담 리제는 원 속에 숨겨진 각의 비밀을 알고 있었기 때문입니다.

이 단원에서는 원에서 찾을 수 있는 새로운 각을 배워 봅시다. 또한 그 각이 호와 중심각과 어떤 관계가 있는지 발견해 보고 원 안에 접하는 사각형에서 각과 관련된 특징도 발견해 봅시다. 그리고 이 단원에서 발견한 여러 가지 성질을 이용하여 크기가 같은 각을 만드는 방법에 대한 비밀도 풀어 봅시다.

/1/ 똑같은 각을 찾아보자

개념과 원리 탐구하기 1

▌준비물 : 각도기

원은 다각형과 달리 모난 곳이 없이 둥근 모양입니다. 그래서인지 원은 다각형과는 다른 특성이 많이 있습니다. 현에 관한 성질, 접선에 관한 성질 등은 다각형에는 없는 원만의 고유한 성질입니다. 원에 관한 성질은 이외에도 여러 가지가 더 있습니다.

1 다음 각 그림에서 ∠A, ∠B, ∠C, ∠D의 크기 사이의 관계를 알아보고자 합니다.

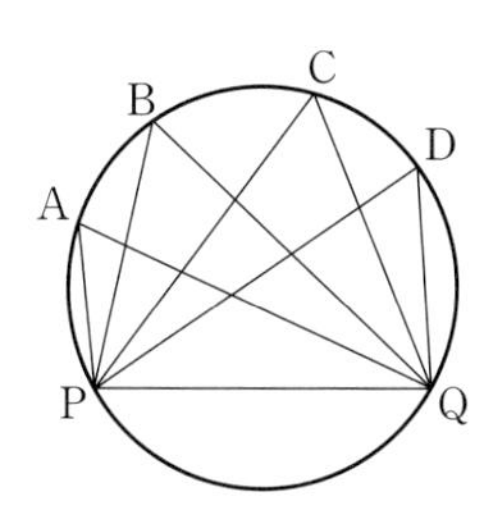

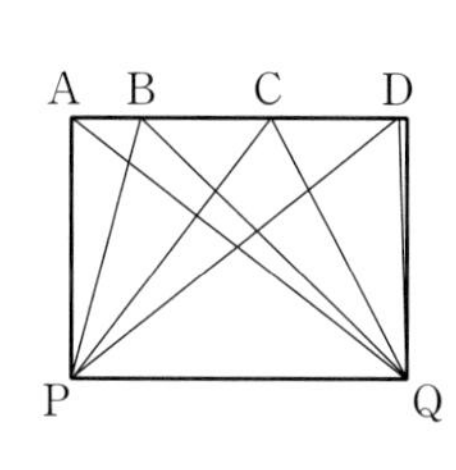

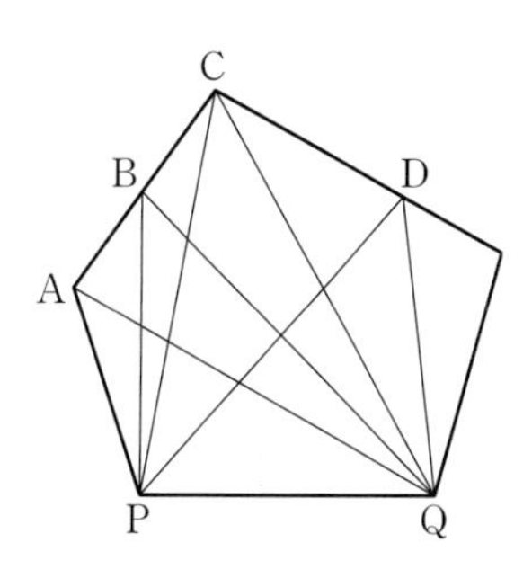

(1) 각도기를 이용하지 않고 먼저 눈으로 네 각의 크기를 비교하여 각자의 의견을 써보자.

(2) 각도기를 이용하여 (1)에서 추측한 사실을 확인해 보자.

2 이 활동을 통하여 원만이 가지는 특수한 성질을 한 문장으로 정리해 보자.

개념과 원리 탐구하기 2

▌준비물 : 컴퍼스, 자, 삼각자

 다음을 함께 탐구해 보자.

(1) 다음 직각삼각형의 외심의 위치를 표시해 보자.

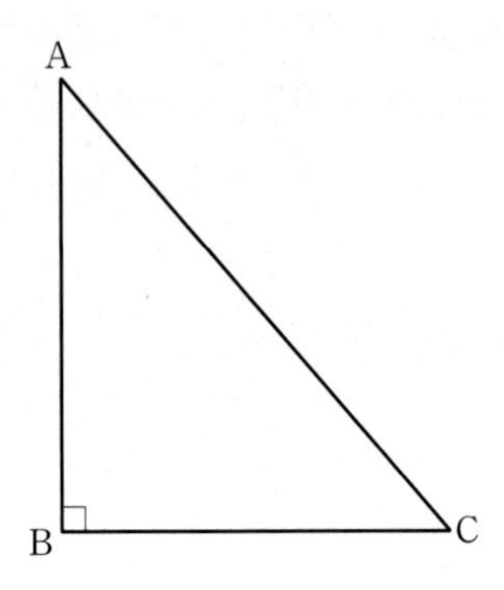

(2) 아래 선분 AC를 빗변으로 하는 서로 다른 직각삼각형 10개를 그리고 추측할 수 있는 성질을 써보자.

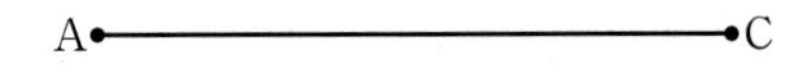

호 AB의 안쪽에 있지 않은 원 위의 점 P에 대하여 ∠APB를 호 AB에 대한 **원주각**이라 하고, 원의 중심 O에 대하여 ∠AOB를 호 AB에 대한 **중심각**이라고 합니다.

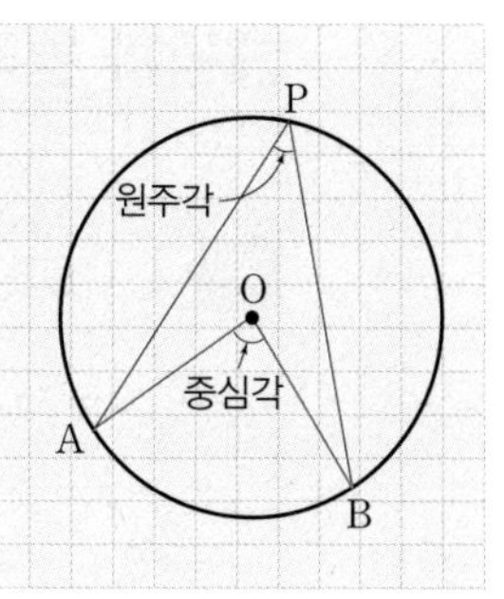

2 '원주각' 용어를 사용하여 **1** 을 통해 발견한 사실을 2가지 이상 써보자.

•

•

•

3 다음 그림에서 지름의 양 끝점 A, B와 원주 위의 한 점 P에 대하여 지름 AB에 대한 원주각 ∠APB의 크기를 구하고 그 이유를 설명해 보자.

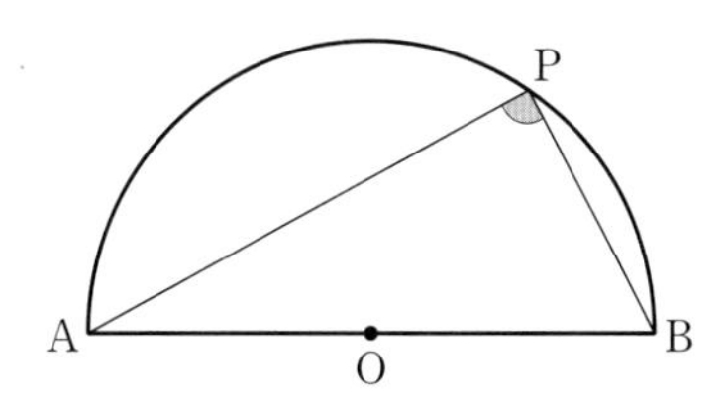

개념과 원리 탐구하기 3

1 다음은 원 모양의 시계에서 숫자와 알파벳을 연결해 놓은 것입니다. (단, 점 O는 원의 중심)

(1) 오른쪽 그림에서 호 AD에 대한 중심각 ∠AOD의 크기를 구하고 그 이유를 설명해 보자.

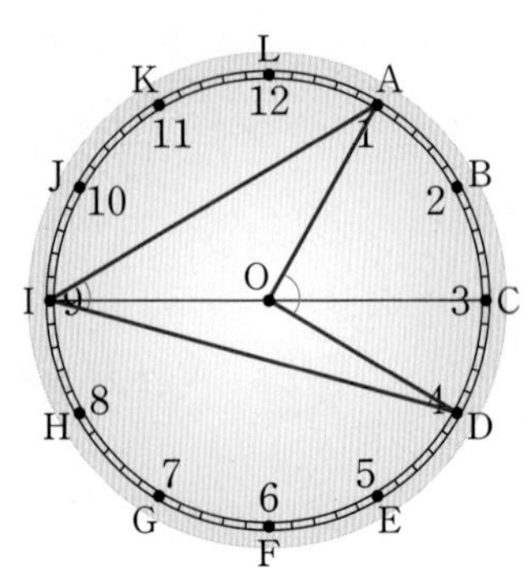

(2) 오른쪽 그림에서 세 점 I, O, C는 일직선 위에 있고 두 삼각형 OAI, ODI는 모두 이등변삼각형입니다. 이 사실을 이용하여 호 AD에 대한 원주각 ∠AID의 크기를 구해 보자.

(3) 오른쪽 그림에서 호 AD에 대한 원주각 ∠AHD의 크기를 구해 보자.

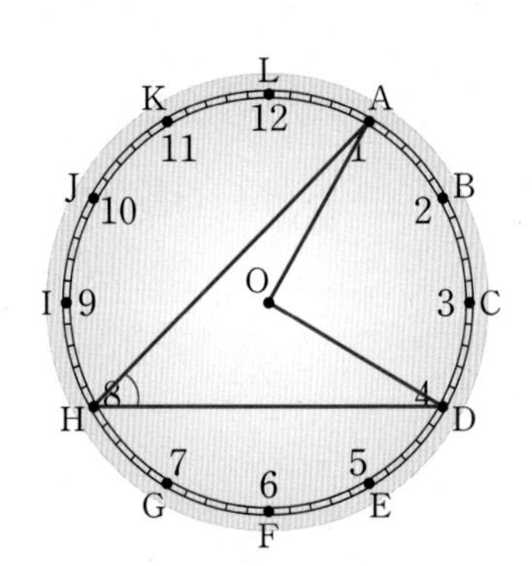

(4) 오른쪽 그림에서 호 AD에 대한 원주각 ∠AJD, ∠AFD의 크기를 구해 보자.

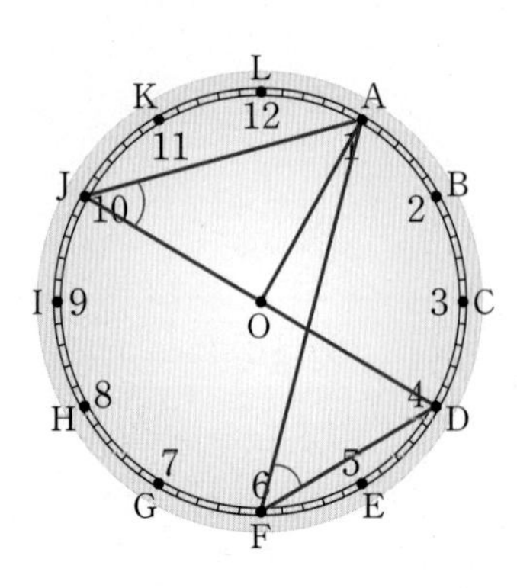

2 **1** 을 통해 알게 된 원주각의 크기와 중심각의 크기 사이의 관계를 정리해 보자.

3 다섯 명의 학생이 의자 한 개를 가운데에 놓고 '둥글게 둥글게' 게임을 하고 있습니다. 이 게임은 '둥글게 둥글게' 노래를 부르며 돌다가 사회자가 갑자기 호루라기를 불면 먼저 의자에 앉는 사람이 이기는 게임입니다. 아래 그림과 같은 상태에서 호루라기를 분다면 누가 제일 유리한지 설명해 보자. (단, 의자에서 보검이와 서준이까지의 거리는 각각 같습니다.)

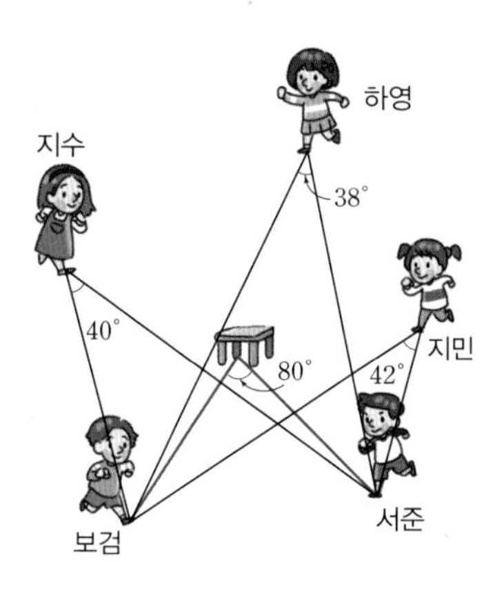

개념과 원리 탐구하기 4

▌준비물 : 자, 컴퍼스

다음을 함께 탐구해 보자.

(1) 다음 서로 다른 두 점을 동시에 지나는 원을 모두 그려 보자.

A•　　　　　　•B

(2) 다음 서로 다른 세 점을 동시에 지나는 원을 모두 그려 보자.

C
•

A•　　　　　　•B

(3) 다음 서로 다른 네 점을 동시에 지나는 원을 모두 그려 보자.

C

D

A　　　　B

(4) 서로 다른 두 점, 세 점, 네 점을 동시에 지나는 원이 항상 존재하는지를 생각해 보고 그 이유를 설명해 보자. (단, 세 점과 네 점이 일직선 위에 있는 경우는 제외합니다.)

나의 생각	모둠의 의견
• 서로 다른 두 점을 지나는 원은	• 서로 다른 두 점을 지나는 원은
• 서로 다른 세 점을 지나는 원은	• 서로 다른 세 점을 지나는 원은
• 서로 다른 네 점을 지나는 원은	• 서로 다른 네 점을 지나는 원은

2 다음을 함께 탐구해 보자.

(1) 다음 왼쪽 그림은 원에 내접하는 직사각형과 정사각형입니다. 오른쪽 그림의 사각형 AHDC에서 네 개의 내각과 그 대각의 크기를 구하고 그들 사이의 관계를 추측해 보자. 또한, 원에 내접하는 모든 사각형에서 그 관계가 성립하는지 설명해 보자.

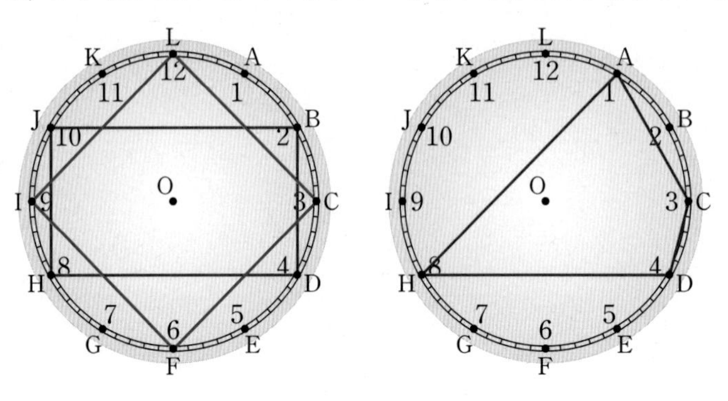

(2) 성철이의 주장이 옳은지 판단하고 그 이유를 설명해 보자.

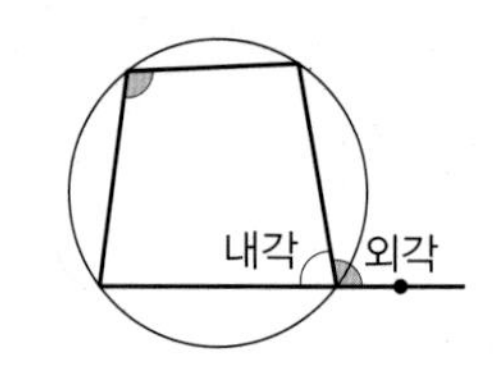

성철 원에 내접하는 사각형의 한 외각의 크기는 그 내각의 대각의 크기와 같아.

(3) 사각형이 원에 내접하기 위한 조건을 정리해 보자.

개념과 원리 탐구하기 5

굴렁쇠는 전통놀이입니다. 아래와 같이 굴렁쇠 안에 내접하는 삼각형 ABT가 있고 손잡이 CT는 점 T에서 굴렁쇠에 접한다고 합니다.

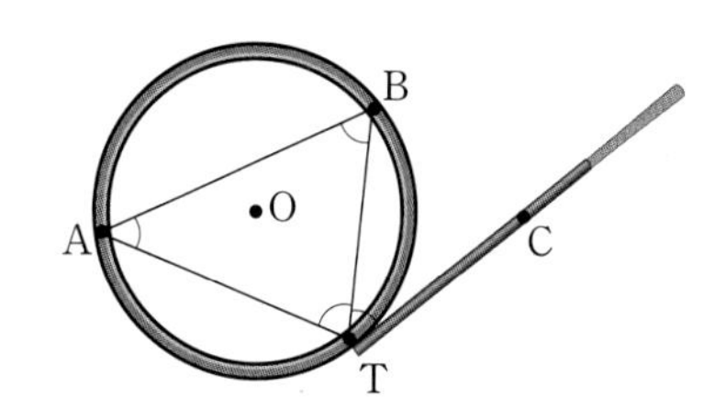

1 **다음을 함께 탐구해 보자.**

(1) 세 각 $\angle BAT$, $\angle ABT$, $\angle ATB$ 중 손잡이 CT가 굴렁쇠의 현 BT와 이루는 각 $\angle BTC$의 크기와 같은 것이 어느 것인지 추측해 보고 실제로 각도기로 네 각의 크기를 재어 확인해 보자.

(2) (1)에서 추측한 각의 크기가 항상 각 $\angle BTC$의 크기와 같은 이유를 설명해 보자.

탐구 되돌아보기

1 책상 위 두 지점에 핀을 꽂고 직각이등변삼각형 모양의 삼각자를 그 사이에 정확하게 끼워 돌리려고 합니다. 삼각자의 직각 부분의 끝 구멍에 연필을 넣고서 삼각자를 좌우로 움직일 때, 연필에서 그려지는 도형을 추측하고 그 이유를 설명해 보자.

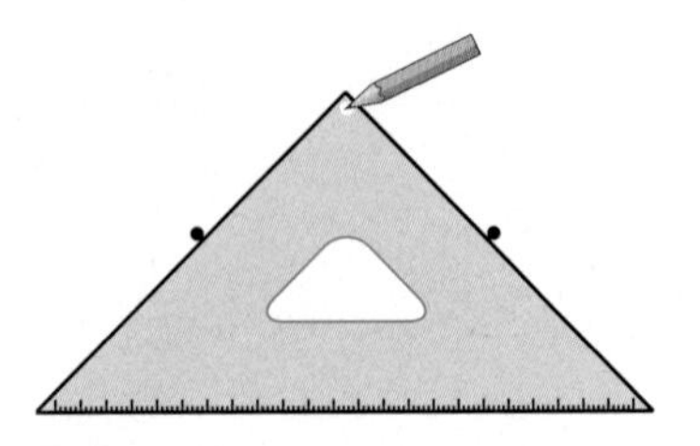

2 오른쪽과 같이 대관람차에 간격이 일정한 12개의 관람차가 있고 A부터 L까지 이름이 붙어 있습니다. 다음 물음에 답해 보자.

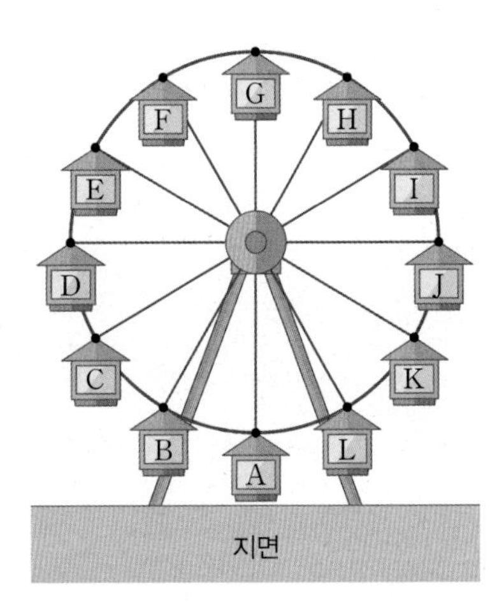

(1) $\angle$BKL의 크기를 구해 보자.

(2) $\angle$CKI의 크기를 구해 보자.

(3) 지면에서 대관람차의 가장 높은 곳인 관람차 G의 지붕까지의 높이가 50 m이고, 대관람차의 반지름의 길이가 24 m라고 할 때, 지면에서 관람차 H의 지붕까지의 높이를 구해 보자.

3 지수와 하영이는 다음과 같이 수학 동아리의 뱃지를 만들었습니다. 뱃지는 원 안에 내접하는 정오각형의 내부에 별을 그린 모양입니다.

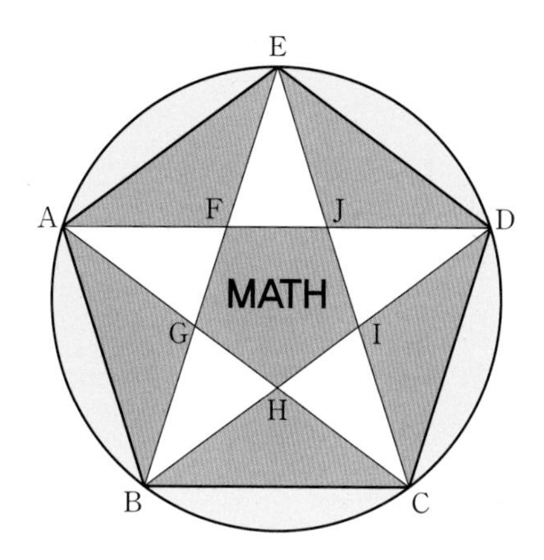

(1) 중심각과 원주각의 성질을 이용하여 $\angle BEC$의 크기를 구해 보자.

(2) $\angle BHC$의 크기를 구해 보자.

4 다음 그림 중 원에 내접하는 사각형을 모두 찾고 이유를 설명해 보자.

(1)

80°

100°

(2)

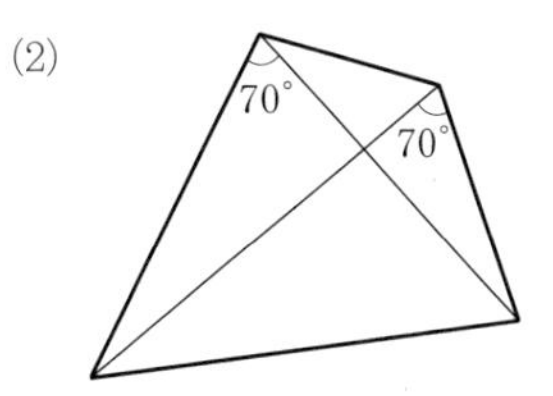

(3)

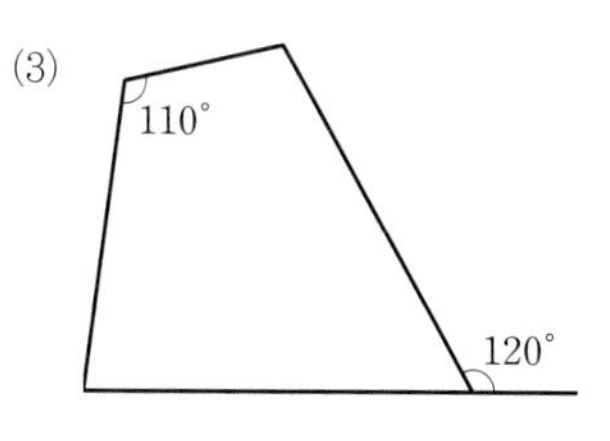

5 **다음 그림에서 $\angle x$의 크기를 구해 보자.**

(1)

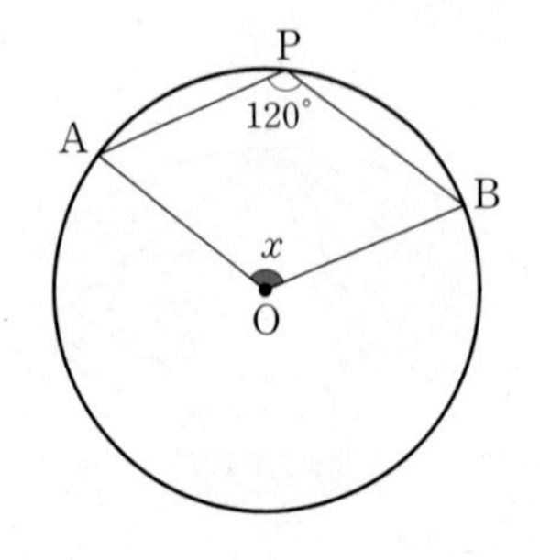

(2)

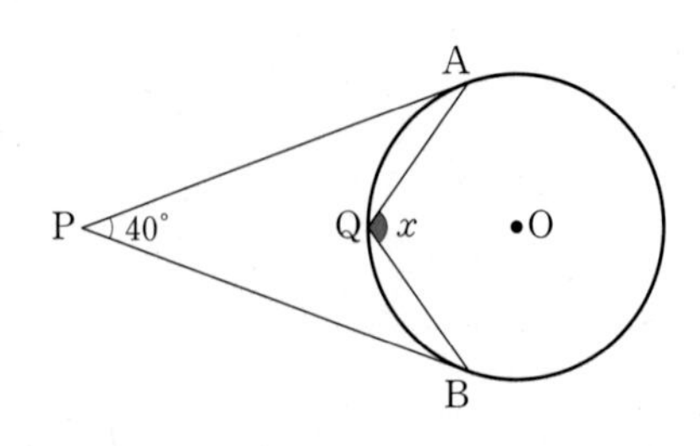

(단, $\overline{PA}$와 $\overline{PB}$는 원 O의 접선입니다.)

(3)

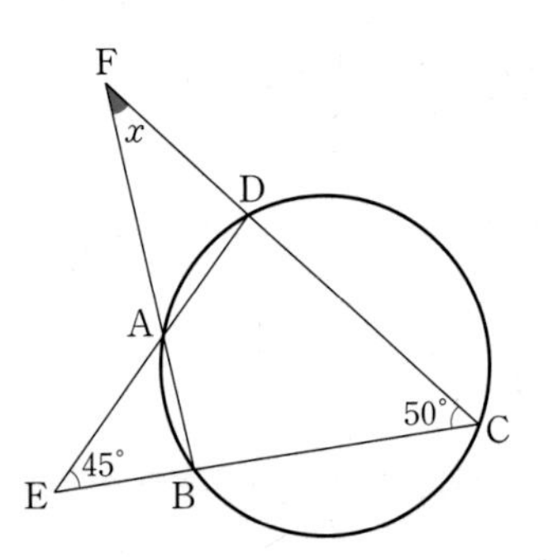

(4)

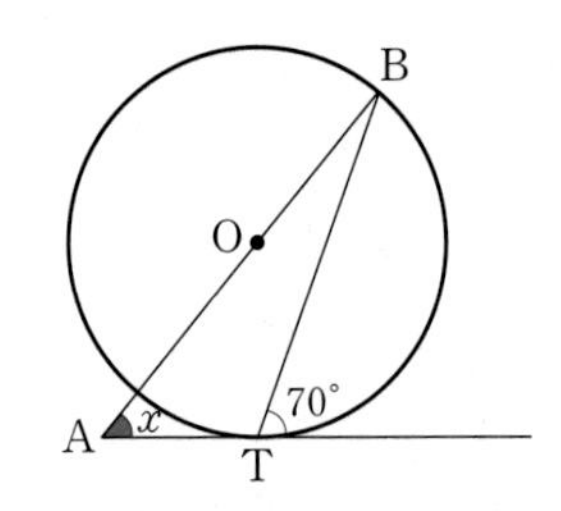

(단, $\overline{AT}$는 원 O의 접선입니다.)

내가 만드는 수학 이야기

6 원 모양의 양식장이 있고 양식장의 경계 부분에는 레이저를 직선으로 쏘아 해적선을 감시하는 두 대의 등대가 설치되어 있습니다. 두 등대와 양식장의 중심을 이으면 중심각의 크기가 $100°$ 일 때, 해적선이 양식장 안으로 들어온 것을 알 수 있는 방법에 대한 이야기를 원주각을 이용하여 만들어 보자.

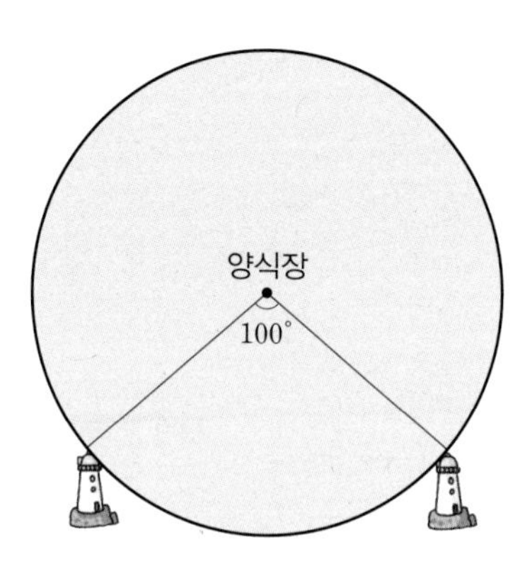

제 목

Give the shape : 목표로 내딛기

개념과 원리 연결하기

1 정식이는 오른쪽 사각형이 정사각형이므로 $\angle A = \angle B = \angle C$라고 말합니다. 이 주장이 옳은지 판단하고 그 이유를 써보자.

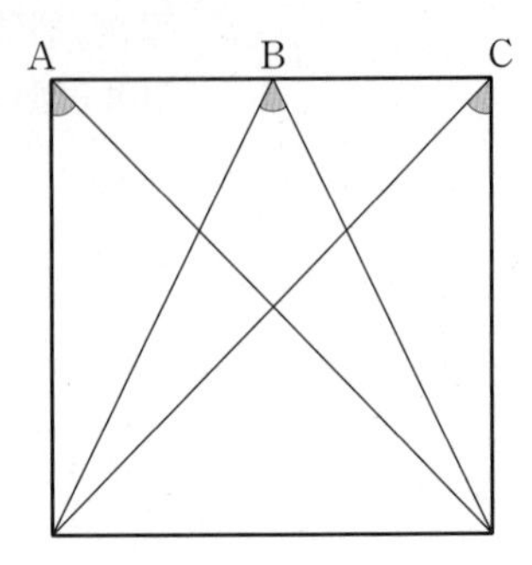

나의 첫 생각

다른 친구들의 생각

정리된 나의 생각

2 원의 성질과 원주각의 개념을 정리해 보자.

(1) 이 단원에서 알게 된 원의 성질과 원주각의 성질, 개념을 모두 정리해 보자.

(2) 원의 성질과 원주각과 연결된 개념을 복습해 보자. 그리고 제시된 개념과 원의 성질과 원주각 사이의 연결성을 찾아 모둠에서 함께 정리해 보자.

원의 성질과 원주각과 연결된 개념	각 개념의 뜻과 원의 성질과 원주각의 연결성
• 원주, 지름, 원주율 • 호의 길의, 현의 길이 • 부채꼴에서 중심각과 호의 길이, 부채꼴의 넓이 • 이등변삼각형의 성질 • 사각형의 성질	

수학 학습원리 완성하기

성훈이는 52쪽 [2] 탐구하기 4 [1] 을 해결하기 위한 자기 사고 과정을 다음과 같은 방법으로 설명했습니다.

내가 선택한 탐구 과제

[1] 다음을 함께 탐구해 보자.

(3) 다음 서로 다른 네 점을 지나는 원을 모두 그려 보자.

(4) 서로 다른 두 점, 세 점, 네 점을 지나는 원이 항상 존재하는지를 생각해 보고 그 이유를 설명해 보자.

성훈이의 깨달음

이번 탐구를 하면서 사각형이 반드시 원에 내접하지는 않는다는 것을 알게 되었다.

그리고 사각형이 원에 내접하기 위해서는 다음과 같은 조건이 필요하다는 것도 친구들과 이야기하면서 정리할 수 있었다.

1. 사각형이 원에 내접하려면 대각의 크기의 합이 180°여야 한다.

합이
180°

2. 사각형의 한 외각과 그 내각의 대각의 크기가 같으면 원에 내접한다.

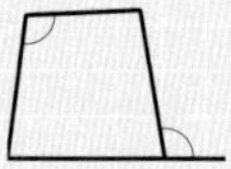

3. 사각형 ABCD에서 $\angle BAC = \angle BDC$이면 원에 내접한다.

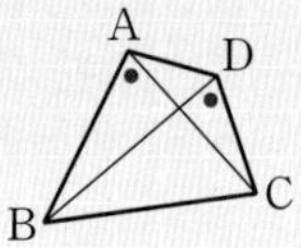

A D B C

수학 학습원리

학습원리 3. 수학적 추론을 통해 자신의 생각 정리하기

1 성훈이의 설명에서 다른 수학 학습원리를 발견할 수 있는지 찾아보자.

2 성훈이가 한 것처럼 이 단원의 다른 탐구 과제를 선택하여 해결하는 사고 과정을 설명해 보고 사용한 수학 학습원리를 찾아보자.

내가 선택한 탐구 과제

나의 깨달음

수학 학습원리

수학 학습원리

1. 끈기 있는 태도와 자신감 기르기
2. 관찰하는 습관을 통해 규칙성 표현하기
3. 수학적 추론을 통해 자신의 생각 정리하기
4. 수학적 의사소통 능력 기르기
5. 여러 가지 수학 개념 연결하기

통계로 세상을 알아보자

4
캠핑단의 승리 횟수는 평균 몇 점일까?
3·6·9 게임을 합니다. 누가 몇 회를 이겼나를 세어 보고 우리 팀의 평균 승점을 계산해 봅시다. 유독 한 친구가 게임을 못하여 팀의 승점을 깎아먹는다면 이 팀의 승점은 매우 낮아지겠지요.
이 단원에서는 팀을 대표하는 값을 구하는 여러 기준에 대해 알아봅니다.

1 통계를 이용한 올바른 판단

폭염과 에어컨 가동 시간, 하루 발생하는 온실가스의 양, 지구 온난화 현상으로 인한 기후 변화, 매일 사용하는 일회용품의 수 등 우리의 일상생활의 모든 분야에서 등장하는 다양한 새로운 정보와 통계 자료들은 무수히 많습니다. 이런 수많은 자료에 맞는 올바른 판단을 하기 위해서는 통계의 역할이 필요합니다. 주어진 자료 전체를 대표하는 값으로 우리는 평균을 사용합니다. 그런데 어떤 자료 전체의 특징을 하나의 수로 나타낼 때 평균보다 더 그 자료의 특징을 잘 나타내는 다른 값은 없을까요? 이 단원에서는 주어진 자료의 중심적인 경향이나 특징을 나타내는 값을 탐구하고, 그 값들을 구하는 방법을 이용해 자료를 대표하는 적절한 값을 찾아봅시다. 그리고 그 값들이 어떤 경우에 자료를 대표하는 값으로 적절한지를 함께 탐구해 봅시다.

/ 1 / 게임, 휴대폰 사용 시간

개념과 원리 탐구하기 1

공학적 도구 사용

1 엄마와 정민이가 서로 구체적인 근거를 바탕으로 대화하기 위해 우리 반 학생들의 일주일 동안의 게임 시간을 조사하려고 합니다. 다음 표를 채워 보자. (단, 게임 시간은 PC방, 개인용 컴퓨터, 휴대폰을 이용한 시간을 모두 합산한 시간입니다.)

번호	게임 시간	번호	게임 시간	번호	게임 시간	번호	게임 시간	번호	게임 시간

2 정민이는 **1** 의 표에 나타낸 자료를 가지고 자신의 게임 시간에 대한 의견을 부모님께 말씀드리려고 합니다. 이때 위의 자료는 어떤 장점과 단점이 있을지 적어 보자.

장점	
단점	

3 다음을 함께 탐구해 보자.

(1) 1 의 자료에서 우리 반 학생들의 일주일 동안의 게임 시간의 평균을 구해 보자. (단, 계산기나 통계 프로그램을 이용하여 평균 게임 시간을 구합니다.)

$$(\text{평균}) = \frac{(\text{자료의 총합})}{(\text{자료의 개수})}$$

(2) (1)에서 구한 평균을 이용하여 정민이는 부모님을 어떻게 설득할 수 있을지 말풍선을 채워 보자.

(3) 이 반에 꿈이 프로게이머인 학생 한 명이 전학을 왔습니다. 이 학생은 일주일 동안 60 시간 정도 게임을 한다고 합니다. 전학 온 학생의 게임 시간을 위의 자료에 포함시키면 부모님을 설득하기에 유리할까요? 불리할까요? 그렇게 생각한 이유를 써보자.

	(유리하다 , 불리하다)
선택한 이유	

4 엄마는 **3** (2)의 정민이의 주장에 대해서 어떤 의견을 말할 수 있을지 평균을 이용하여 말풍선을 채워 보자.

5 위의 탐구 활동을 통해 평균이 가진 장점과 단점에 대해서 적어 보자.

	나의 생각	모둠의 의견
장점		
단점		

개념과 원리 탐구하기 2

공학적 도구 사용

1 엄마는 정민이가 평균으로 설명하는 것이 설득력이 부족하다고 생각했습니다. 이때 정민이가 효과적으로 자신의 의견을 잘 설명하려면 어떻게 말해야 할지 말풍선을 채워 보자.

2 정민이는 어느 날 다음과 같은 내용의 글을 읽었습니다.

한국을 비롯한 OECD 국가들 중 7개 국가의 고등학교 1학년의 1주일 동안의 공부시간을 조사했더니 오른쪽 표와 같았다. 이 자료를 보면 7개 국가는 대체적으로 일주일에 약 30시간 정도의 공부를 하며 이는 OECD 회원국 전체의 평균인 약 35시간보다는 적은 것으로 나타났다.

(단위 : 시간)

나라	1주일 공부시간
스웨덴	27.6
노르웨이	28.0
덴마크	29.0
핀란드	29.7
일본	32.1
아이슬란드	33.0
한국	50.0
OECD 전체 평균	34.9

7개 국가의 공부시간을 크기 순서로 차례로 늘어놓으면 29.7시간, 즉 약 30시간이 중앙에 위치합니다. 기자가 7개 국가에서 고등학교 1학년 학생들이 1주일 동안 약 30시간 공부한다고 기사를 쓴 이유가 무엇일지 추측하여 써보자.

자료를 크기 순서대로 늘어놓을 때 중앙에 위치하는 값을 **중앙값**이라고 합니다.

3 **다음을 함께 탐구해 보자.**

(1) 다음 주어진 자료의 평균과 중앙값을 구하고 어떤 것이 자료의 특징을 적절하게 반영하는지 생각해 보자.

① 청소년 10명의 1주일 동안의 TV, 컴퓨터, 휴대폰 등 미디어 기기 사용 시간

(단위 : 시간)

19 76 12 17 17 18 15 10 19 17

평균 : ______________ 중앙값 : ______________

② 2016년 충남에서 공연과 전시가 가장 많이 이루어진 5개 문화시설의 예술공연 및 전시 총 횟수

40 61 118 45 57

(출처 : 통계청)

평균 : ______________ 중앙값 : ______________

(2) 중앙값은 어떤 경우에 사용하는 것이 바람직한지 모둠에서 이야기한 후에 정리된 것을 적어 보자.

4 **다음은 2015년 대구 달서구 소재 8개의 공공도서관에 비치된 도서 권수를 나타낸 자료입니다. 자료의 개수가 8인 경우 중앙값은 어떻게 정하면 좋을지 각자의 의견을 적어 보고 모둠에서 토론한 후 정리된 의견을 적어 보자.**

(단위 : 권)

515,018	86,102	57,592	80,420	57,944	64,029	78,691	84,734

(출처 : 통계청)

개념과 원리 탐구하기 3

공학적 도구 사용

〈정민이 반 친구들의 일주일 동안의 휴대폰 사용 시간〉

(단위 : 시간)

14	12	6	5	6	6	6	3	6	7	9	6	10	21	10

1 정민이 입장에서는 휴대폰 사용 시간을 가능한 줄이고 싶지 않습니다. 다른 근거를 가지고 어머니를 설득하려고 합니다. 어떻게 하면 좋을지 모둠 친구들과 의견을 나누어 보자.

나의 생각	모둠의 의견

조사된 자료의 변량 중에서 도수가 가장 큰 값을 그 자료의 **최빈값**이라고 합니다.

2 다음을 함께 탐구해 보자.

(1) 정민이 어머니의 설명을 최빈값을 이용하여 수정해 보자.

(2) 어떤 경우에 최빈값을 자료를 대표하는 값으로 사용하는 것이 좋을지 예를 찾아보자.

조사된 자료를 정리하여 그 중심적 경향을 하나의 수로 나타내는 것은 자료를 이해하고 분석하는데 매우 편리합니다. 이와 같이 자료 전체의 중심적 경향을 하나의 수로 나타내어 자료를 대표하는 값으로 사용하는 값을 **대푯값**이라고 하는데 가장 많이 사용하는 대푯값으로는 앞에서 살펴본 평균, 중앙값, 최빈값이 있습니다.

3 **이산화탄소는 지구온난화의 주범인 온실가스 중 대표적인 가스입니다. 다음은 2014년 주요 20개 국가의 에너지 부분에서 배출한 이산화탄소의 양을 조사한 표입니다.**

(단위 : 백만 톤)

나라	배출량	나라	배출량
남아프리카공화국	437	오스트레일리아	374
네덜란드	148	이탈리아	320
뉴질랜드	31	인도	2,020
독일	723	일본	1,189
러시아	1,468	중국	9,087
멕시코	431	캐나다	555
미국	5,176	터키	307
브라질	476	프랑스	286
스페인	232	핀란드	45
영국	408	한국	568

(출처 : 통계청)

(1) 20개 국가의 2014년 이산화탄소 배출량의 평균, 중앙값, 최빈값을 구해 보자.

평균	중앙값	최빈값

(2) 우리나라는 20개 국가 중 어느 정도 수준으로 이산화탄소를 배출하고 있다고 말할 수 있을까요? (1)에서 구한 대푯값을 이용하여 간단히 기사를 작성해 보자.

/ 2 / 통계로 세상 알아보기

개념과 원리 탐구하기 4

공학적 도구 사용

1 **주어진 자료들의 평균, 중앙값, 최빈값을 공학적도구(계산기, 통계 프로그램, 스프레드시트 등)를 이용하여 구하고, 각각의 경우에 어떤 대푯값을 사용하는 것이 가장 좋은지 선택하고 그 이유를 써보자.**

(1) 세계수학자대회는 4년마다 열리며 2014년에는 제27차 대회가 서울 코엑스에서 열렸습니다. 이 대회에서는 수학의 노벨상이라 불리는 필즈상(Fields Medal)을 개최국 대통령이 수여합니다. 필즈상은 만 40세 이하의 수학자에게만 수상하도록 규정되어 있습니다. 다음은 1936년부터 시작된 역대 필즈메달리스트들 56명에 대한 수상 당시의 나이를 나타낸 것입니다.

(단위 : 세)

29	40	35	33	39	28	33	35	31	31	37	32	38	36	31	39
32	38	34	37	34	29	30	38	35	34	33	29	32	35	36	38
39	39	40	38	37	39	39	35	32	38	38	38	37	40	31	36
40	40	37	38	35	40	39	37								

평균	중앙값	최빈값

(2) 다음은 1998년부터 2017년까지 우리나라에서 발생한 규모 3 이상의 지진발생 횟수를 나타낸 것입니다.

〈지진 발생 횟수〉

연도(년)	횟수(회)	연도(년)	횟수(회)	연도(년)	횟수(회)
1998	7	2005	15	2012	9
1999	16	2006	7	2013	18
2000	8	2007	2	2014	8
2001	7	2008	10	2015	5
2002	11	2009	8	2016	34
2003	9	2010	5	2017	19
2004	6	2011	14		

(자료 출처 : 기상청)

평균	중앙값	최빈값

(3) 다음은 2018년 2월 20일 낮 12시 기준 서울의 25개 구청에서 조사한 미세먼지 농도를 조사한 자료입니다.

(단위 : $\mu g/m^3$)

44	50	46	56	43
55	57	46	52	57
46	46	43	57	42
46	48	55	42	39
41	55	55	57	45

(자료 출처 : 에어 코리아)

평균	중앙값	최빈값

(4) 오존은 지상 20~25 km 상공에서 태양 자외선 등을 막아주지만 인체에는 오염물질로 작용합니다. 시간당 대기 중 오존농도가 0.12 ppm 이상일 때 오존주의보가 발령됩니다. 오존에 노출되면 두통이나 눈에 자극 등이 나타날 수 있고 1시간 이상 노출되면 호흡에 영향을 미칩니다. 오존은 특히 미세 먼지 등과 달리 입자가 아닌 기체라 마스크 등으로 막을 수도 없습니다. 실외활동을 자제하고 환기를 자주 하는 것 외에는 특별한 방법이 없습니다.

오존경보제

주 의 보	오존농도 0.12 ppm 이상
경 보	오존농도 0.3 ppm 이상
중대경보	오존농도 0.5 ppm 이상

(ppm : parts per million)

다음은 2008년부터 2017년까지 서울에서 발령된 오존주의보 발령횟수를 나타낸 것입니다.

년도(년)	2008	2009	2010	2011	2012	2013	2014	2015	2016	2017
횟수(회)	23	14	21	10	6	18	23	4	33	33

(자료 출처 : 서울시)

평균	중앙값	최빈값

2 학교 앞 문방구 가게 주인은 실내화를 크기별로 구비하기 위해 남녀 각각 27명씩 학년을 골고루 섞어서 학생들의 신발 치수를 조사하였더니 다음과 같았습니다.

〈남학생 실내화 신발 치수〉

(단위 : mm)

치수	240	245	250	255	260	265	270	275	280	285
명수	1	1	3	4	5	7	2	2	1	1

〈여학생 실내화 신발 치수〉

(단위 : mm)

치수	225	230	235	240	245	250	255	260	265	270
명수	1	3	6	6	4	2	2	1	1	1

(1) 계산기나 통계 프로그램을 이용하여 남학생, 여학생의 실내화 신발 치수의 평균, 중앙값, 최빈값을 각각 구해 보자.

	평균	중앙값	최빈값
남학생 실내화 신발 치수			
여학생 실내화 신발 치수			

(2) 문방구 가게 주인은 2학기 개학에 맞추어 실내화 상품을 총 100개 준비하려고 합니다. 크기별로 어떻게 준비하는 것이 가장 좋을지 모둠에서 토론한 후에 가장 좋은 전략을 정리해서 적어 보자. (단, 실내화는 남녀 공용으로 준비하려고 합니다.)

개념과 원리 탐구하기 5

공학적 도구 사용

1 동계올림픽 중 스노우보드 하프파이프 경기는 선수의 경기 동작을 심판들이 채점하여 높은 점수 순으로 순위를 정합니다. 다음은 결선에 진출한 어떤 선수의 채점표입니다. 다음을 함께 탐구해 보자.

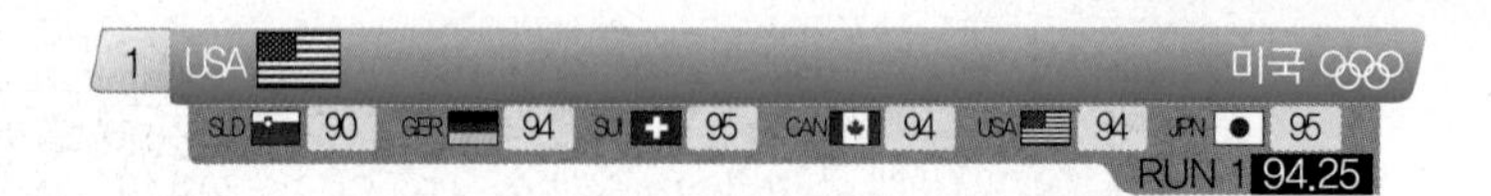

(1) 위의 채점표를 보면 6명의 심판이 점수를 매긴 점수 중에서 가장 높은 점수와 가장 낮은 점수를 제외한 점수의 평균을 구한 것입니다. 그렇게 한 이유는 무엇인지 각자의 의견을 적어 보자.

(2) 심판들의 점수 중에서 중앙값이나 최빈값을 구하지 않고 평균을 구한 이유는 무엇인지 각자의 의견을 적어 보자.

(3) 위의 채점 방식이 선수들의 실력을 가장 공정하게 판단하는 방법일까요? 보다 공정하게 판단할 수 있는 다른 방식이 있는지 모둠에서 토론한 후에 가장 좋은 방법을 적어 보자. 그리고 그 방법이 가장 좋다는 것을 다른 모둠에게 설득해 보자.

2 **2017년 가계금융 · 복지조사는 통계청, 한국은행, 금융감독원 등 한국의 주요 정책통계기관이 모두 참여하는 매우 중요한 조사입니다. 전국의 2만 가구를 조사한 결과 가구당 순자산 보유액은 다음과 같습니다.**

〈2017년 가구당 순자산 보유액 구간별 가구 분포〉

순자산 (억 원)	−1 미만	−1~0 미만	0~1 미만	1~2 미만	2~3 미만	3~4 미만	4~5 미만	5~6 미만	6~7 미만	7~8 미만	8~9 미만	9~10 미만	10 이상
가구 비율 (%)	0.2	2.7	31.2	18.5	13.6	9.4	6.7	4.6	3.2	2.2	1.4	1.2	5.1

평균	31,142(만 원)	중앙값	18,525(만 원)

(순자산)=(자산 총액)−(부채 총액)
- 자산 : 예금, 투자한 돈과 같은 금융자산과 주택, 토지, 건물과 같은 부동산
- 부채 : 남에게 빌린 돈

(1) 어떤 기자가 위의 자료를 보고 아래와 같이 기사 제목을 썼습니다. 이 제목이 타당한지 판단하고 그렇게 생각한 이유를 써보자.

2017년 가구당 평균 순자산은 3억 1,142만 원

(2) 위의 자료를 분석하여 기사를 쓸 때, 적절한 제목을 친구들과 논의하여 만들어 보자. 그리고 그렇게 생각한 이유를 설명해 보자.

3 다음은 어느 뉴스의 일부입니다. 다음을 함께 탐구해 보자.

어제 오후 5시 기준 최대 전력사용량이 9천 70만 kWh를 기록했습니다. 이는 지난 2월 기록한 기존 역대 최고치를 넘은 건데요. 보통 여름철 온도가 1도 오르면 전력수요가 평균 80만 kWh 증가하는데, 매일 이어지는 폭염에 약 175만 kWh의 전력수요가 커진 것으로 보입니다. 이에 따라 전력예비율은 8.4 %로 급락했습니다.
예비율이 한 자릿수로 떨어진 것은 주택용 전기요금 누진제 파동이 일어났던 지난 2016년 8월 이후 2년여 만입니다. 현재 비상시에 쓸 수 있는 예비전력은 760만 kWh로 올해 들어 최저 수준인데요. 앞서 산업통상자원부는 이번 주 최대 전력수요가 8천 830만 kWh까지 오르긴 하겠지만, 예비전력이 1천만 kWh 이상, 전력예비율은 11 % 이상을 유지해 수급은 안정적이라고 밝혔는데 이같은 예상을 벗어났습니다.

(출처 : 2018년 7월 24일 SBS뉴스)

(1) 이 기사에 제시된 수치에 어떤 수학적 근거가 있는지 설명해 보자.

(2) TV나 신문, 인터넷 기사 등에 사용되는 통계 자료 중 잘못 사용된 예를 찾고, 그렇게 생각한 이유를 써보자.

2 다양한 자료로 해석하기

신문이나 TV에서 국민의 월평균 소득이 발표되면 자신의 소득과 비교해 실망하거나 다수가 정말 그 평균의 소득을 올리는지 궁금해지기도 합니다. 자료 중 지나치게 큰 값이나 작은 값이 포함되어 있는 경우에는 평균이 그 자료를 잘 대표하지 못하는 경우도 많습니다. 그렇다면 스포츠에서 대표선수를 뽑는 상황에서 선수들의 기록을 분석하여 평균기록이 높은 선수를 뽑는 결정은 좋은 선택일까요? 대푯값만으로 자료의 분포 상태를 충분히 알아볼 수 있을까요?

이 단원에서는 자료의 흩어진 정도를 나타낼 수 있는 방법을 생각해 보고 자료의 분포 상태를 나타내는 값에 대해 탐구해 봅시다. 그리고 그 값이 담고 있는 의미를 해석하는 방법과 자료의 분포를 설명하는 방법을 함께 알아봅시다.

/1/ 어떤 선수를 선발할까

개념과 원리 탐구하기 1

공학적 도구 사용

통일중학교는 지역 양궁대회에 출전하려고 합니다. 다음과 같이 최종 경기를 진행하였고, 최종 후보로 선정된 4명 학생의 양궁 점수는 다음과 같습니다.

경기(회)	1	2	3	4	5	6	7	8	9	10
A선수 점수	7	9	7	9	7	9	9	7	9	7
B선수 점수	9	8	8	7	8	7	8	8	9	8
C선수 점수	8	8	8	10	6	8	8	8	8	8
D선수 점수	7	7	7	6	7	7	7	8	7	7

1 위의 양궁 점수표의 기록을 보고 2명의 대표선수는 누가 되어야 할지 정하고 그 이유를 써보자.

2 선수들의 평균이 같은 경우에는 어떤 선수가 대표선수가 되어야 하는지 다음을 함께 탐구해 보자.

(1) 다음 표는 민기가 정한 대표선수 선정 기준과 그 계산 결과입니다. 민기가 최종적으로 뽑게 될 대표선수 2명은 누구일지 예상해 적어 보고, 민기의 대표선수 선정 기준이 합리적인지 판단해 보자.

민기의 대표선수 선정 기준	계산값		적합한 대표선수
나는 양궁에서 대표선수를 뽑을 때 평균 말고도 고려해야 하는 부분이 있다고 생각해. 그 선수의 실력이 얼마나 안정적인지 불안정한지를 파악해야 하거든. 그래서 평균이 같은 A, B, C선수가 서로 다른 점수를 몇 가지 얻었는가를 확인해 봤어. 예를 들어 A선수는 7점과 9점을 쏘았으므로 2가지로 흩어진 거야. 그래서 A선수는 2라는 값을 줄 수 있어. 1가지 종류의 점수를 얻은 선수가 있다면 그 선수가 가장 안정적이라고 할 수 있지.	A선수	2	
	B선수	3	
	C선수	3	

(2) 내가 생각하는 '대표선수 선정 기준'은 무엇인지, 그리고 어떤 학생을 대표선수로 선별하면 좋을지 정해 보자. 그 이유를 모둠에서 합리적인 근거를 제시한 친구의 의견을 정리해 보자.

〈나의 생각〉

적합한 대표선수를 판단할 계산 방법	계산값		적합한 대표선수
	A선수		
	B선수		
	C선수		

〈모둠의 의견〉

적합한 대표선수를 판단할 계산 방법	계산값		적합한 대표선수
	A선수		
	B선수		
	C선수		

(3) 다음은 통일중학교 선발위원 은혜와 온유의 의견입니다. 빈칸을 채우고 두 사람의 의견에 대한 나의 생각을 적어 보자.

- **은혜** : 한 선수의 최고점수에서 최저점수를 뺀 값이 클수록 점수의 흩어진 정도가 크다고 생각합니다. 예를 들어 A선수의 최댓값(9)－최솟값(7)＝2가 됩니다.
  따라서 세 선수의 흩어진 정도는
  A : ________, B : ________, C : ________ 입니다.

- **온유** : 한 선수의 평균을 기준으로 변량과의 차이를 구해서 점수의 전체 분포를 측정해야 한다고 생각합니다. 예를 들어 A선수의 평균은 8인데 각 점수와 평균 8과의 차이를 계산해 보면
  1회는 $7-8=-1$, 2회는 $9-8=1$, $\cdots$, 10회는 $7-8=-1$
  이므로 모두 차이의 크기가 1입니다. 차이의 크기를 모두 더하면 10입니다.
  따라서 세 선수의 흩어진 정도는
  A : ________, B : ________, C : ________ 입니다.

개념과 원리 탐구하기 2

공학적 도구 사용

우리는 지금까지 선수들의 양궁 실력을 비교하기 위해 다양한 근거를 찾아보았습니다. 단순히 평균과 같은 대푯값만이 아니라 선수들의 '(각 점수)변량이 얼마나 흩어져 있는가'를 비교해야 하고, 그러려면 흩어진 정도를 나타낼 수 있는 계산 방법이 필요함을 알았습니다. 그 계산 방법을 통해서 '변량이 흩어진 정도'를 하나의 수로 나타낸 값을 **산포도**라고 합니다.

1 세 양궁 선수의 점수표를 보면서 다음을 함께 탐구해 보자.

(단위 : 점)

경기(회)	1	2	3	4	5	6	7	8	9	10	합계	평균
A선수 점수	7	9	7	9	7	9	9	7	9	7	80	8
B선수 점수	9	8	8	7	8	7	8	8	9	8	80	8
C선수 점수	8	8	8	10	6	8	8	8	8	8	80	8

(1) 선영이는 좌표평면에 평균 8점을 기준으로 A선수의 점수를 나타내었습니다. A선수의 점수 분포를 말로 설명해 보자.

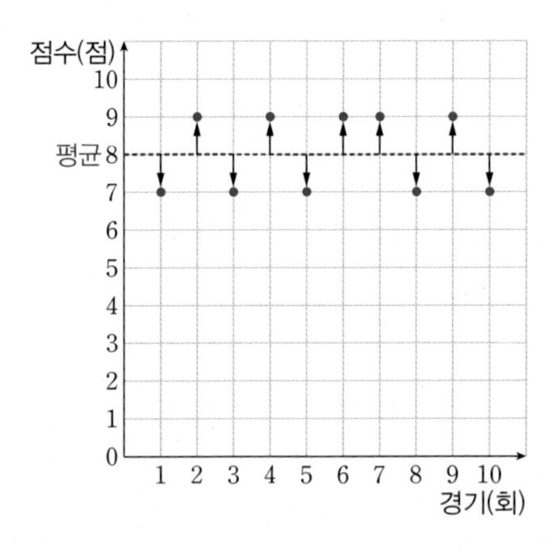

(2) 선영이의 방법으로 아래의 좌표평면에 B선수와 C선수의 점수를 각각 표현하고 이를 이용하여 두 선수의 점수 분포를 말로 설명해 보자.

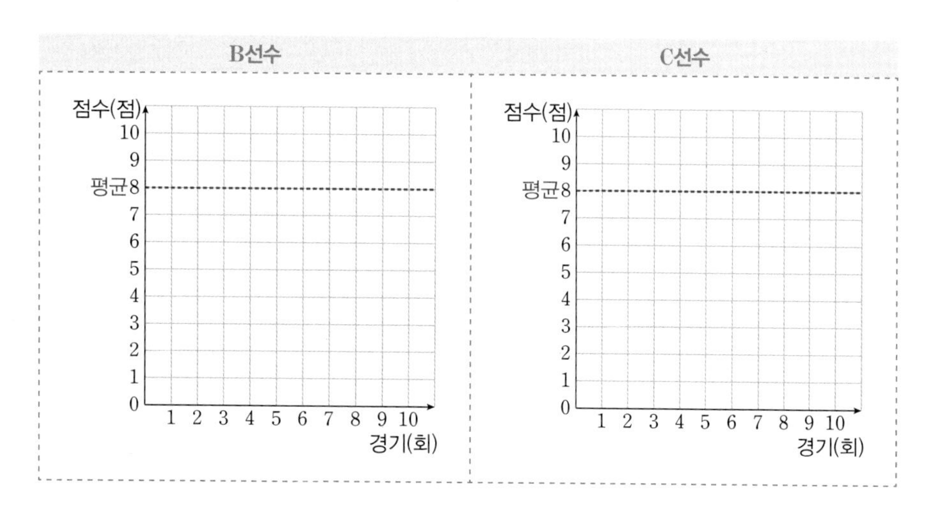

1 과 같이 각 변량이 평균으로부터 얼마나 멀리 떨어져 있는가를 이용해 산포도를 계산해 볼 수 있습니다. 즉, 각 변량과 평균의 차를 이용해 산포도를 나타낼 수 있습니다. 이때 '각 변량에서 평균을 뺀 값'을 그 변량의 **편차**라고 합니다.

2 **다음은 각 변량이 평균과 얼마나 떨어져 있는가를 어떻게 표현할 수 있을지, 산포도를 하나의 숫자로 나타낼 수 있는 계산 방법을 찾는 대화 내용입니다. 다음을 함께 탐구해 보자.**

■ 민수 : A, B 두 선수의 산포도를 구하기 위해 먼저 평균 8을 이용해 편차를 구했어.

경기(회)	1	2	3	4	5	6	7	8	9	10
A 편차	-1	1	-1	1	-1	1	1	-1	1	-1
B 편차	1	0	0	-1	0	-1	0	0	1	0

그 다음에 그 편차의 합을 구해 보았어.

A선수의 편차의 합 : $(-1)+1+(-1)+1+\cdots+(-1)=0$

B선수의 편차의 합 : $1+0+0+(-1)+\cdots+0=0$

모두 0이므로 두 선수의 편차의 합은 동일하다고 할 수 있어.

■ 규진 : ① 민수의 방법으로 C선수의 **편차의 합**도 계산해 보니 0이 나와. 왜 그러지? 어떤 오류가 있는 것은 아닐까?

■ 영희 : ② 편차의 합이 0이 되지 않으면서 산포도를 하나의 수치로 나타내는 방법이 있을 거야.

(1) 위의 대화 중 ①에서 왜 이런 결과가 나왔는지를 설명해 보자.

(2) 영희가 말한 ②의 대안으로 적절한 아이디어를 생각해 보자.

3 **계속해서 산포도를 구하는 과정의 대화 내용을 보면서 다음을 함께 탐구해 보자.**

- **영희** : 나는 편차의 합이 0이 되지 않도록 하기 위해 A선수의 편차에 제곱을 했어.

경기(회)	1	2	3	4	5	6	7	8	9	10
$(편차)^2$	$(-1)^2$	1^2	$(-1)^2$	1^2	$(-1)^2$	1^2	1^2	$(-1)^2$	1^2	$(-1)^2$

그리고 나서 그 값을 다 더한 후 10으로 나누어 평균을 구했어.

- **규진** : ① 세 선수들을 그렇게 계산해 볼게.
- **민수** : 영희야, 네가 말한 방법으로 C선수의 산포도를 계산할 때 약간 이상한 점을 발견했어. C선수가 받은 점수 중 10점과 6점의 편차는 2, -2이지만, 제곱을 하면 모두 4가 되거든. 예를 들어, 어떤 선수가 3점을 받았을 때의 편차의 제곱은 $(-5)^2=25$로 매우 커져.
- **영희** : ② 그러면 내가 계산한 값에서 약간의 보완을 할 수 있을 것 같아.

(1) 위의 대화 중 ①에서 A, B, C 세 선수들을 각각 계산해 보자.

(2) 영희가 말한 ②의 대안으로 적절한 아이디어를 생각해 보자.

어떤 자료에서 편차의 제곱의 평균을 **분산**이라고 합니다. 그리고 그 분산의 음이 아닌 제곱근을 **표준편차**라고 합니다.

4 **1 에서 제시된 A, B, C 세 선수의 분산과 표준편차를 각각 구하고, 세 선수의 산포도를 비교해 보자.**

(단위 : 점)

경기(회)	1	2	3	4	5	6	7	8	9	10	합계	평균
A선수 점수	7	9	7	9	7	9	9	7	9	7	80	8
B선수 점수	9	8	8	7	8	7	8	8	9	8	80	8
C선수 점수	8	8	8	10	6	8	8	8	8	8	80	8

(편차)=(변량)−(평균)	(분산)=$\frac{(\text{편차})^2\text{의 총합}}{(\text{변량})\text{의 개수}}$	(표준편차)=$\sqrt{(\text{분산})}$

	A선수	B선수	C선수
분산			
표준편차			

개념과 원리 탐구하기 3

1 우리 반 친구들 20명에게 지난 주에 마신 초코티가 몇 잔인지 조사한 자료입니다. 다음을 함께 탐구해 보자.

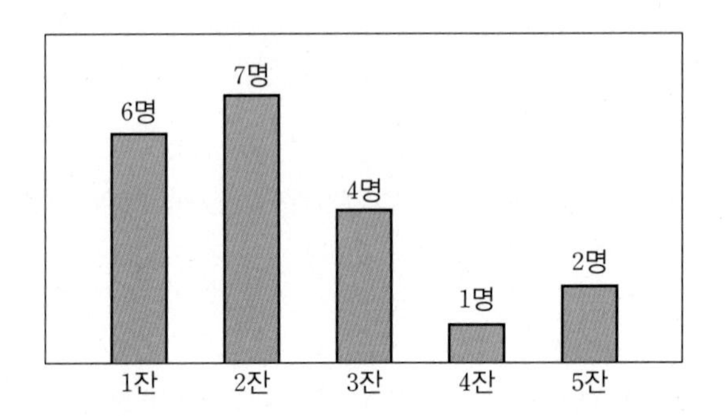

(1) 이 자료의 평균, 중앙값, 최빈값을 구해 보자.

평균	중앙값	최빈값

(2) 경은이는 이번 주에 마신 초코티가 몇 잔인지 다시 조사를 했습니다. 지난 주와 이번 주의 결과를 비교할 때 평균과 표준편차가 각각 어떻게 달라졌을지 판단하고 그 이유를 써보자. (단, 정확한 값을 계산하지 않아도 됩니다.)

- 미란 : 지난 주 두 잔을 마셨는데 이번 주는 한 잔 더 마셨어.
- 여진 : 지난 주에 두 잔을 마셨는데 잠이 안와서 이번 주에는 한 잔만 마셨어.

※ 다른 18명은 달라지지 않았다고 응답하였습니다.

2 **중학교 3학년 8명 남학생의 키를 측정했습니다. 키의 평균은 168 cm이고 표준편차가 10 cm라고 합니다. 그런데 신장계가 고장이 나서 2 cm씩 더 크게 측정이 되었다는 사실을 알게 되었습니다. 8명의 학생 전체의 키를 2 cm씩 줄인다고 할 때, 평균과 표준편차가 어떻게 변할지 구해 보고 그렇게 생각한 이유를 써보자.**

개념과 원리 탐구하기 4

공학적 도구 사용

한라산중학교와 백두산중학교 각각 학생 100명에게 수학 과목에 대한 선호도를 −50부터 50까지의 점수 중 하나를 선택하도록 하고 정리한 자료입니다. 다음을 함께 탐구해 보자.

(단, 수학을 좋아하면 양수로 싫어하면 음수로 답했습니다.)

〈한라산중학교〉

4	6	6	9	11
6	11	−4	4	0
7	8	9	9	−3
−4	9	2	10	6
−2	10	2	8	8
0	2	4	7	9
1	12	9	5	10
1	6	10	8	−6
2	2	−4	9	24
−8	−3	5	6	6
5	12	−5	6	9
4	−1	2	14	8
0	4	−3	6	5
0	8	−2	2	2
6	12	5	7	15
11	8	7	2	8
7	0	8	8	4
9	13	3	2	5
1	5	6	4	5
5	5	4	6	−4

〈백두산중학교〉

2	−15	17	20	25
−36	0	−3	−1	−14
21	24	17	17	10
−15	−19	9	1	−16
10	−1	33	39	5
−4	3	−1	36	−19
20	−3	20	−9	−13
18	21	18	13	0
34	25	−18	−17	−3
50	24	11	−13	−3
−2	22	−24	−19	20
2	3	0	0	13
21	9	−14	3	−11
35	3	18	−11	−10
9	−15	−5	6	26
−16	−31	−4	11	14
−6	−14	26	12	−20
−27	−5	−1	3	28
1	22	28	24	−7
−11	21	29	22	4

(1) 각 중학교의 자료에서 평균, 중앙값, 최빈값, 분산, 표준편차를 구해 보자.

	한라산중학교	백두산중학교
① 평균		
② 중앙값		
③ 최빈값		
④ 분산		
⑤ 표준편차		

(2) 수학을 좋아하면 양수로 싫어하면 음수로 답했을 때, 두 학교 중 어느 학교 학생들이 수학을 더 좋아한다고 말할 수 있을지 골라 보자. 그 이유를 (1)에서 구한 대푯값과 산포도를 근거로 설명해 보자.

2 **2018년 우리나라 논과 밭을 포함한 경지면적이 역대 최저치를 기록했다고 합니다. 고령화로 농사를 접는 농가가 많아졌고, 동시에 농지로 사용되던 토지들이 다른 용도로 변경되고 있다고 합니다. 다음은 2013년부터 2018년까지 전국의 도별 경지면적을 조사한 통계자료입니다. 자료를 이용하여 다음을 함께 탐구해 보자.**

(단위 : 헥타르)

도별	2013년	2014년	2015년	2016년	2017년	2018년	표준편차
경기도	176,857	176,028	175,417	169,435	165,707	162,587	
강원도	110,378	108,727	107,277	104,330	103,133	101,564	
충청북도	114,530	112,097	111,568	109,161	107,097	102,870	
충청남도	224,629	219,215	218,787	215,100	213,238	211,577	
전라북도	204,592	204,612	203,559	200,720	199,196	197,541	
전라남도	308,220	305,889	304,799	298,095	293,863	290,827	
경상북도	279,484	277,650	274,487	268,461	265,665	262,049	
경상남도	156,978	154,050	151,769	149,247	146,766	144,404	
제주도	62,856	62,686	62,642	62,140	61,088	59,338	

(출처 : 통계청 사회통계국 농어업통계과)

(1) 각 도별 경지면적의 표준편차를 구해 빈칸을 채워 보자. (단, 표준편차는 반올림하여 일의 자리까지 구합니다.)

(2) 2018년 경지면적이 넓은 도부터 3개를 차례로 써보자.

(3) 2013년~2018년 경지면적의 표준편차가 가장 큰 곳과 작은 곳을 찾아보자.

(4) 국내의 경지면적 감소에 대한 기사를 통해 원인을 찾아보고, 경지면적이 줄어드는 현상을 보완하기 위한 다른 나라의 정책들을 소개하는 기사들을 찾아 소개해 보자. (참고 : 검색 키워드는 # 경지면적 감소 # 외국 농업사례 # 외국의 농지제도 # 농업정책 등으로 할 수 있습니다.)

3 키는 점점 커지고 있을까

아버지의 키가 크면 아들의 키도 클까요?
더위와 폭염으로 아이스크림의 판매량이 늘었다고 주장하는 것은 적절할까요? 하나의 변수가 증가할 때 다른 변수가 어떻게 변화하는지를 한눈에 보기 쉽게 표현하면 두 변수의 관계를 설명할 수 있을까요? 그리고 서로 영향을 주는 관계인지 아닌지를 표현한 자료만으로 충분히 설명이 가능할지 생각해 봅시다.
이 단원에서는 두 변수의 관계를 그림으로 표현하는 방법을 탐구해 봅시다. 그리고 그 그림을 통해 알 수 있는 사실은 무엇이고 두 변수의 관계를 나타내고 설명하는 방법을 함께 알아봅시다.

/ 1 / 우리 마을의 특성을 알아보자

개념과 원리 탐구하기 1

공학적 도구 사용 

1 우리 마을에서 아버지와 아들의 키가 어떤 관계가 있는지를 알아보기 위해 아들이 18세 이상인 60가구를 대상으로 설문조사를 하였습니다. 설문조사를 한 결과는 다음과 같이 표로 정리했습니다.

아버지의 키(cm)	아들의 키(cm)
166.1	170.2
186.9	179.8
172.7	175
180	178.1
159.8	165.9
163.6	172
173.5	173.5
173.2	175
171.2	173
172	174.2
161.8	169.4
172	169.3
172	177
171.5	178.1
167.1	168.2
180.1	181.6
163.8	172.1
174	171.3
159.3	161.3
170.2	174.2
176.5	174.5
163.3	172.7
179.8	173.2
168.8	172.3
188	181.8
180.3	185
167.6	170
181.4	190
168.7	169.2
159.5	171.2

아버지의 키(cm)	아들의 키(cm)
161.8	161.9
175	175.5
171.4	177.8
176.5	176.6
166.9	181.1
166.6	179.8
162.6	177.1
173.2	170.2
178.8	178.8
172.7	174
162	170.1
180.1	181.2
165.2	167.2
161.8	160.5
164	164.1
182	188.2
181	181.3
178.5	180
179	176.3
175.4	174.4
176.9	175.5
177	178.3
156.9	163.1
170	170.9
169.3	171.1
165.9	164.7
179	183.2
157.2	166
177.3	177.2
155	157.2

(1) 아들이 18세 이상인 가구만 조사한 이유가 무엇이었을지 모둠에서 이야기해 보자.

(2) 태윤, 승주, 호준, 민경, 선영이는 각자 자료를 연구한 결과 '대체적으로 아버지보다 아들의 키가 크다'는 결론을 내리고, 그 이유를 설명하였습니다. 다섯 명 중 누구의 근거가 가장 설득력 있는지 고르고 그렇게 생각한 이유를 써보자.

- **태윤** : 키가 가장 큰 아들과 아버지를 찾아서 비교했어.
- **승주** : 60개의 자료 중 30개 이상이 아들의 키가 아버지의 키보다 커.
- **호준** : 60개의 자료 중 44개가 아들의 키가 아버지의 키보다 크고, 같은 경우는 2개야.
- **민경** : 아버지들과 아들들의 평균 키는 각각 약 171 cm, 약 173 cm임을 알 수 있어.
- **선영** : 아버지들과 아들들의 키의 중앙값은 각각 약 171.75 cm, 약 174.10 cm임을 알 수 있어.

(3) 10개의 자료를 무작위로 고른 아버지의 키와 아들의 키를 다음 좌표평면에 그림으로 나타내 보자. 그림을 통해 대체적으로 아버지의 키보다 아들의 키가 크다고 할 수 있는지 판단하고 그렇게 생각한 이유를 써보자.

아버지의 키(cm)	아들의 키(cm)
166.1	170.2
186.9	179.8
172.7	175
180	178.1
159.8	165.9
161.8	161.9
175	175.5
171.4	177.8
176.5	176.6
166.9	181.1

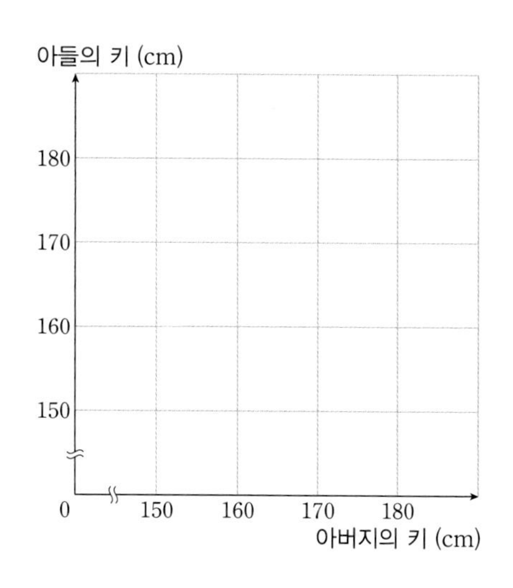

개념과 원리 탐구하기 2

1 다음 그래프는 탐구하기 1에서 제시한 아들이 18세 이상인 60가구를 대상으로 아버지와 아들의 키를 조사한 설문 결과를 그림으로 나타낸 것입니다. 이와 같이 자료들을 좌표평면에 점으로 나타내어 두 자료 사이의 관계를 그래프로 표현한 것을 **산점도**라고 합니다.

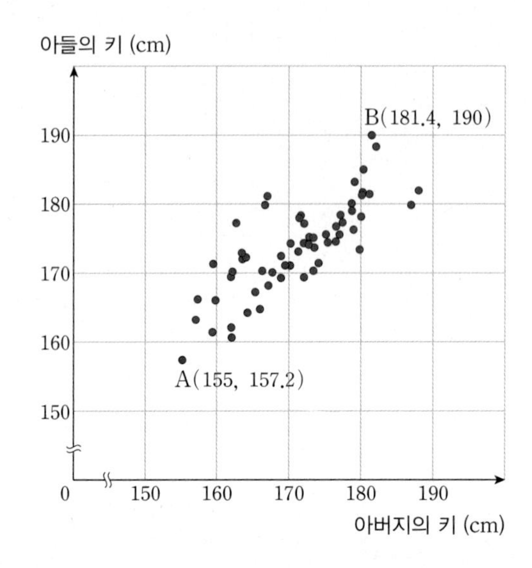

⑴ 점 A(155, 157.2), 점 B(181.4, 190)이 각각 의미하는 것이 무엇인지 설명해 보자.

⑵ 산점도를 보고 아버지의 키와 아들의 키 사이에는 어떤 관계가 있는지 설명해 보자.

아버지와 아들의 키와 같이 두 변량 x, y 사이에 어떤 관계가 있을 때, 두 변량 x, y 사이에 **상관관계**가 있다고 합니다. 아버지들의 키가 증가함에 따라 그 아들들의 키도 증가하는 경향이 있다면 **양의 상관관계**가 있다고 합니다. 반면 아버지들의 키가 증가함에 따라 그 아들들의 키가 감소하는 경향이 있다면 **음의 상관관계**가 있다고 합니다.

(3) 위의 산점도는 어떤 상관관계를 가지고 있는지 이야기해 보자.

2 **이와 같은 상관관계에 대하여 우리 마을에서 알아보고 싶은 주제를 찾아보고, 어떤 자료를 조사하면 좋을지 생각해 보자.**

개념과 원리 탐구하기 3

공학적 도구 사용

다음은 우리 학교 학생들이 우리 마을의 다양한 사회 현상을 조사한 결과를 표로 정리한 것입니다.

[표 1] 온도와 아이스크림 판매량

온도(℃)	아이스크림 판매량(개)
20.2	210
22.4	321
17.9	180
21.2	227
25.1	401
28.1	517
25.4	410
31.1	609
29.4	539
24.1	415
18.6	440
23.2	402

[표 2] 인터넷이용률과 평균 독서권수

	인터넷이용률(%)	평균 독서 권수(권)
2008년	76.5	11.1
2009년	77.2	10.8
2010년	77.8	12.8
2011년	78.0	11.2
2012년	78.4	9.3
2013년	82.1	9.5
2014년	83.6	9.1
2015년	85.1	8.5
2016년	88.3	8.1
2017년	90.3	7.3

[표 3] 1인당 연간 쌀소비량과 경지면적

	1인당 연간 쌀소비량(kg)	경지면적(ha)
2008년	75.8	1,758,795
2009년	74	1,736,798
2010년	72.8	1,715,301
2011년	71.2	1,698,040
2012년	69.8	1,729,982
2013년	67.2	1,711,436
2014년	65.1	1,691,113
2015년	62.9	1,679,023
2016년	61.9	1,643,599
2017년	61.8	1,620,796

[표 4] 1인당 연간 쌀소비량과 우유생산량

	1인당 연간 쌀소비량(kg)	우유생산량(톤)
2008년	75.8	2,138,802
2009년	74	2,109,732
2010년	72.8	2,072,696
2011년	71.2	1,889,150
2012년	69.8	2,110,698
2013년	67.2	2,093,072
2014년	65.1	2,214,039
2015년	62.9	2,168,157
2016년	61.9	2,069,581
2017년	61.8	2,058,230

1 [표 1]~[표 4]를 분석하여 학생들이 우리 마을에 대해 무엇을 알게 되었을지 추측해 보고 모둠에서 친구들과 논의해 보자.

나의 생각	모둠의 의견
•	•
•	•
•	•
•	•

2 여러 가지 공학적 도구를 사용하여 [표 1]~[표 4]의 자료에 대한 산점도를 그려 보자. 그리고 이를 통해 알 수 있는 사실을 써보자.

[표 1]	[표 2]
•	•
•	•

[표 3]	[표 4]
•	•
•	•

3 **다음 여섯 개의 그림은 평균과 표준편차가 같은 50개의 데이터에 대한 산점도입니다. 산점도에서 점들이 한 직선에 몰려 있을수록 상관관계가 강하고, 흩어져 있을수록 상관관계가 약하다고 합니다.**

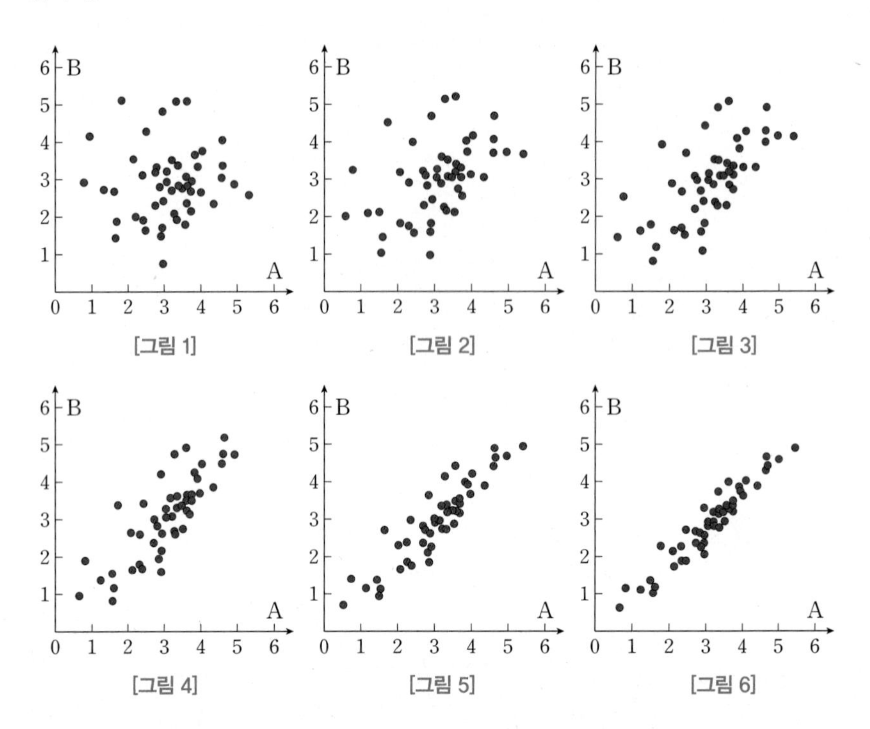

[그림 1] [그림 2] [그림 3]

[그림 4] [그림 5] [그림 6]

(1) 각 그림에 대하여 자료 A, B가 어떤 상관관계를 가지고 있는지 비교하여 이야기해 보자.

(2) 우리 생활 주변에서 강한 상관관계를 가진 것과 약한 상관관계를 가진 것들의 예를 찾아보자.

이지통계 활용 과정 안내

[1단계] '중학교용 통계'를 선택합니다.

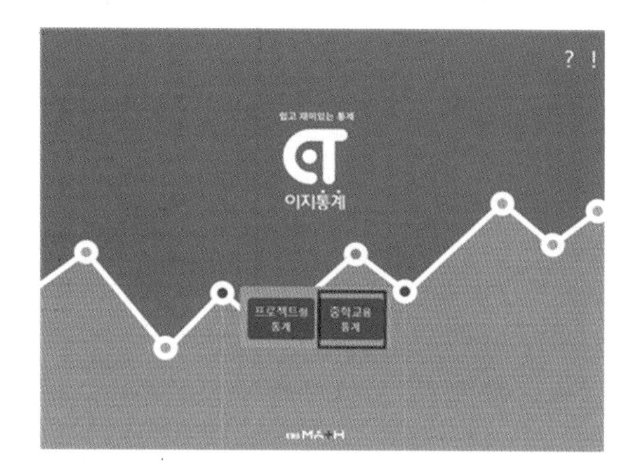

[2단계] 설정을 클릭하여 '두 자료'를 선택합니다.

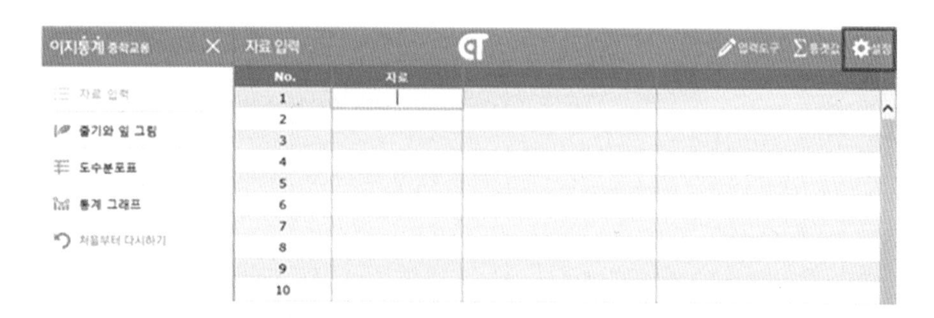

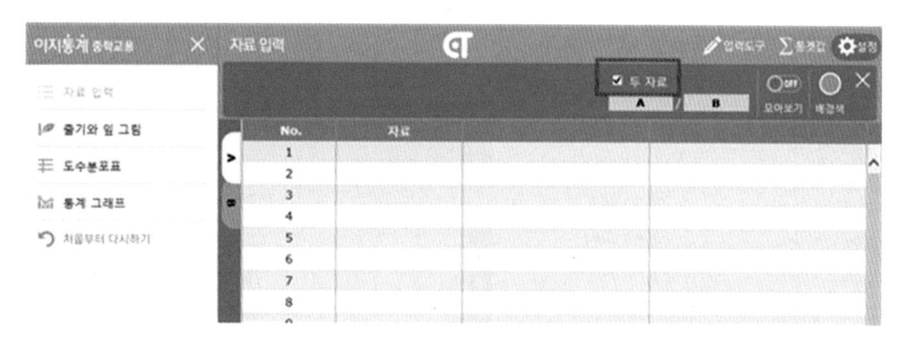

[3단계] 엑셀(또는 한글)파일을 실행합니다. 온도 데이터를 드래그(drag)하여 모두 선택한 후 복사(ctrl+C)합니다.

	A	B	C	D
1	온도(℃)	아이스크림 판매량(개)	익사자수(명)	
2	20.2	210	1	
3	22.4	321	3	
4	17.9	180	0	
5	21.2	227	2	
6	25.1	401	5	
7	28.1	517	8	
8	25.4	410	4	
9	31.1	609	10	
10	29.4	539	7	
11	24.1	415	1	
12	18.6	440	6	
13	23.2	402	4	
14				

[4단계] 이지통계 프로그램에서 '입력도구'를 선택한 후, '붙여넣기'를 클릭합니다.

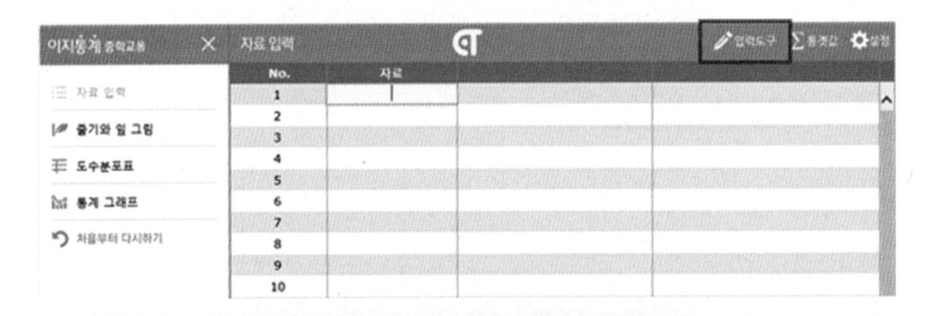

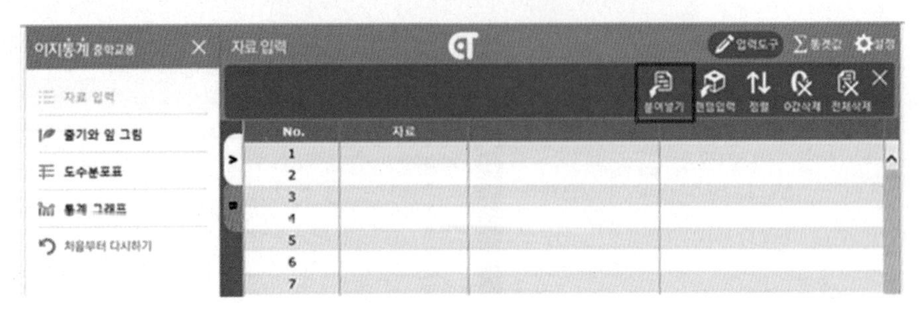

[5단계] 다음과 같이 온도 데이터가 입력된 것을 확인할 수 있습니다. 이제 'B'를 선택하여 엑셀(한글)파일에서 아이스크림 판매량을 선택하여 [4단계], [5단계]를 반복합니다.

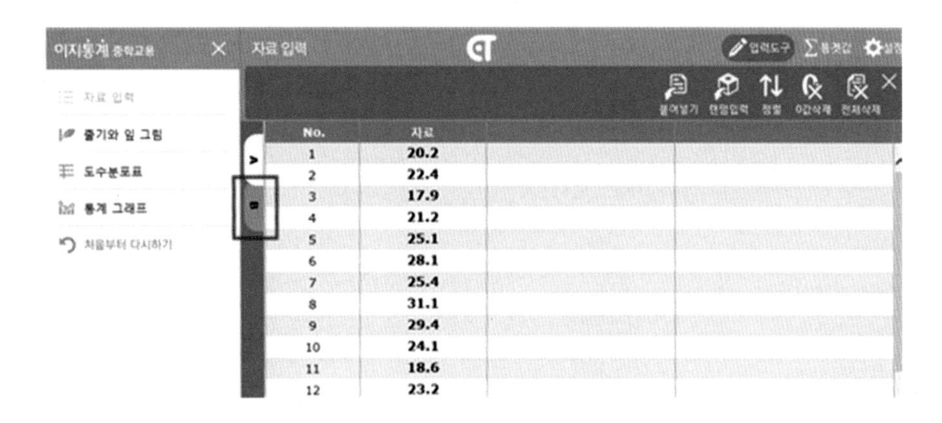

[6단계] '통계 그래프'를 선택한 후, '두 자료 비교'와 '산점도'를 선택하여 실행합니다.

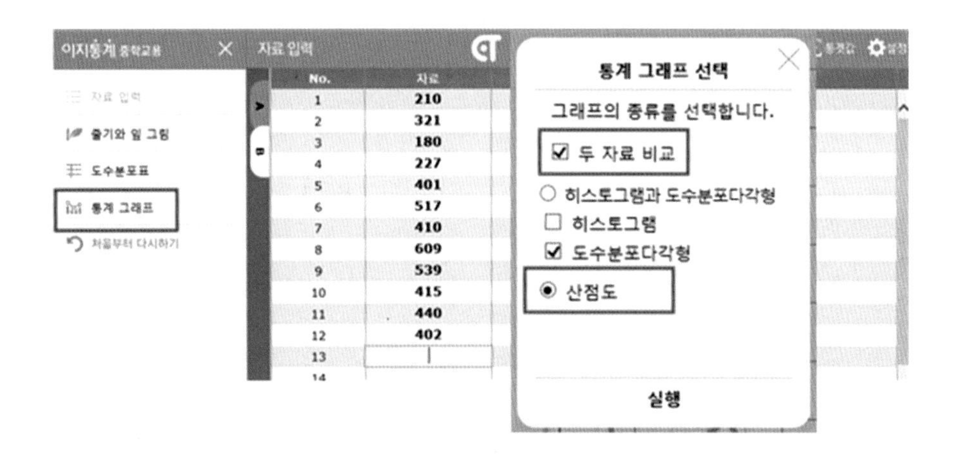

개념과 원리 탐구하기 4

1 다음은 우리 반 친구들이 시민들의 건강을 위한 대책을 세우기 위해 두 자료의 상관관계를 조사한 후 작성한 보고서입니다. 각각의 보고서에는 어떤 문제점이 있는지 이야기하고, 모둠의 친구들과 논의하여 각 보고서의 문제점을 비판하는 글을 써보자.

(1) **보고서 1**

"최근 P 마을의 위암 환자 수가 늘고 있다. 연구 조사 결과, 냉장고 수와 위암 환자 수는 양의 상관관계를 가지고 있었다. 냉장고에 보관된 음식을 먹는 것은 위암의 위험성을 높인다고 볼 수 있다. 따라서 건강을 위해 시민들은 냉장고 사용을 자제해야 하며, 그에 대한 대책 마련에 힘써야 할 것이다."

(2) **보고서 2**

"각 도시의 병원 수와 환자 수를 조사해 보니, 강한 양의 상관관계를 가지고 있었다. 즉, 병원이 많은 도시일수록 환자 수가 많아지는 것이다. 현대 의학은 사람들을 치료하는 것처럼 보이지만 통계 조사 결과에 의하면 사람들을 병들게 하는 것이다. 따라서 건강을 위해 병원 이용을 자제해야 하며, 적절한 대책이 필요하다."

4 실생활 자료의 정리와 해석

통계 자료를 처리하는 소프트웨어를 사용하면 단순하고 시간이 오래 걸리는 계산 과정을 줄일 수 있고, 소프트웨어의 프로그램을 다루는 과정을 통해 논리적인 절차에 대한 이해력을 키울 수 있습니다.

'통그라미'나 '이지통계'를 이용하여 평소 궁금했던 내용이나 조사하고 싶은 주제를 정하여 앞에서 배운 통계 개념을 활용하여 프로젝트를 완성해 봅시다.

/1/ 통계 프로젝트

주제 정하기

1 '독서를 많이 한 학생의 국어 교과 성적이 좋은가?'와 같은 주제처럼 평소 궁금했던 두 대상의 관계 중에서 조사하고 싶은 주제와 왜 조사를 하고 싶은지 그 이유나 목적을 작성해 보자.

(1) 주제 후보 1 : ______________________

이유/목적

(2) 주제 후보 2 : ______________________

이유/목적

(3) 주제 후보 3 : ______________________

이유/목적

(4) 주제 후보 4 : ______________________

이유/목적

2 모둠에서 각자 생각한 주제를 아래 항목으로 평가하여 가장 적절한 주제를 정해 보자.

흥미롭고 창의적인 주제인가?	
관련 자료를 수집할 수 있는가?	
실제로 조사할 수 있는 주제인가?	
두 대상의 관계를 산점도로 나타낼 수 있는 주제인가?	

3 모둠에서 결정한 주제를 구체화하여 하나의 문장으로 작성하고 주제와 관련하여 궁금한 것을 질문 형식으로 작성해 보자.

(1) 결정된 주제

(2) 그 주제가 결정된 이유

(3) 결정된 주제와 관련된 질문

▶

▶

▶

▶

계획하기

조사 대상, 자료 수집 방법, 조사 기간, 모둠원의 역할을 정합니다.

- 모둠원 모두가 참여하여 보고서를 만들어야 합니다. 모두의 참여를 위해 미리 역할 분담을 잘 해야 하며, 각자의 역할이 무엇인지 보고서에 기록합니다.
- 보고서, 신문, 포스터, 동영상 등의 제작 방법과 일정 등을 계획합니다.

1 **조사 대상, 자료 수집 방법, 조사 기간을 정하고 각자의 역할을 나누어 보자.**

조사 대상	
자료 수집 방법	
조사 기간	
역할 분담	
이름	담당 역할

2 **보고서, 신문, 포스터, 동영상 등 무엇을 제작할 것인지 정하고, 구체적인 활동 계획을 세우자.**

자료 수집하기

주제에 따라 자료를 수집하는 적절한 방법을 선택합니다.

- 설문, 실험을 통해 직접 자료를 수집하거나 통계청, 문헌 등에서 제공하는 자료를 이용할 수 있습니다.

  ㉠ 우리 반 학생들의 한 달 용돈 ⇨ 설문조사

  우리 동네 9월 기온 및 습도 ⇨ 기상청 누리집 등

1 **적절한 자료를 수집하기 위해 고려해야 할 점은 무엇인지 모둠에서 함께 생각해 보자.**

2 **모둠 별로 주제에 맞는 설문 문항을 작성해 보자.**

(1) 그 문항이 적절한지 아래 고려 사항을 참고하여 토론해 보자.

- 설문을 통해 주장하고 싶은 내용은 무엇인가?
- 이 문항은 꼭 필요한 질문인가?
- 한 번에 두 가지를 묻고 있지는 않은가?
- 보기를 제시하는 것이 좋을까? 제시하지 않는 것이 좋을까?
- 보기를 제시한다면 몇 개로 하는 것이 좋을까?
- 질문은 어떤 순서로 배치하는 것이 좋은가?
- 지나치게 구체적인 것을 묻고 있지는 않은가?

(2) 어떤 방법으로 설문할 것인지에 대하여 논의해 보자.

- 구글을 이용한 온라인 설문 / 설문지를 복사하여 직접 설문

자료 정리하기

조사한 자료 그 자체로는 그 자료가 무엇을 의미하는지 파악하기 어렵기 때문에 주제를 설명하기 위한 목적을 가지고 자료를 그 특성에 맞게 정리할 필요가 있습니다.

- 대푯값, 산포도 등의 숫자를 이용한 방법
- 표를 이용한 방법: 빈도표, 도수분포표 등
- 그림을 이용한 방법: 산점도, 줄기와 잎 그림, 막대그래프, 원 그래프 등
- 통계 프로그램(이지통계, 통그라미 등)을 이용하여 적절한 방법으로 자료를 정리합니다.

1 **설문조사, 문헌조사 등에서 수집한 자료를 목적에 맞게 효과적으로 분석하기 위해 문항 별로 어떤 방법으로 정리할 것인지 모둠별로 계획을 세우고, 역할을 분담해 보자.**

자료 해석하기

정리한 자료를 토대로 그것이 무엇을 의미하는지 해석하여 주제를 설명하는 것은 통계 자료로서의 활용과 가치를 높입니다.

발표자료 만들기

보고서, 통계 신문, 통계 포스터 등 여러 가지 양식으로 발표 자료를 나타낼 수 있습니다.

〈사진 자료 출처〉

게티 (하) 55쪽

셔터스톡 (상) 138쪽, 셔터스톡 (하) 44쪽, 78쪽, 80쪽

국립경주박물관 (하) 40쪽

〈참고 자료〉

- 마거릿 스미스 · 메리 케이 스테인, 《효과적인 수학적 논의를 위해 교사가 알아야 할 5가지 관행》, 경문사, 2013.
- 앤 왓슨, 《색다른 학교수학》, 경문사, 2015.

발간 책임

사교육걱정없는세상 수학사교육포럼

집필 기획

최수일 (사교육걱정없는세상 수학사교육포럼)

이경은 (사교육걱정없는세상 수학사교육포럼)

고여진 (사교육걱정없는세상 수학사교육포럼)

집필자

고여진 (사교육걱정없는세상)

국중석 (충남 꿈의학교)

권혁천 (서울 상암중학교)

김도훈 (인천 인하대학교사범대학부속중학교)

김보현 (서울 동성중학교)

김성수 (경기 덕양중학교)

송현숙 (인천 백석중학교)

안창호 (인천 진산과학고등학교)

오정 (강원 사북중학교)

유영의 (인천 선학중학교)

이경은 (서울 영림중학교)

이선영 (경기 신일중학교)

이선재 (경기 정왕중학교)

조미영 (인천 관교중학교)

조숙영 (서울 시흥중학교)

최광용 (경기 문산제일고등학교)

최민기 (경기 소명중고등학교)

최수일 (사교육걱정없는세상)

황선희 (서울 혜원여자중학교)

실험학교 교사

김도훈 (인천 인하대학교사범대학부속중학교)
김성수 (경기 덕양중학교)
김재호 (경기 성문밖학교)
김보현 (서울 동성중학교)
박문환 (서울 서울대학교사범대학부설중학교)
박지혜 (인천 인하대학교사범대학부속중학교)
배한나 (서울 봉영여자중학교)
송현숙 (인천 백석중학교)
심희원 (강원 북원여자중학교)
오정 (강원 사북중학교)
유영의 (인천 선학중학교)
이선영 (경기 신일중학교)
정혜영 (서울 문성중학교)
최민기 (경기 소명중고등학교)
홍선나 (서울 이수중학교)

자문위원

강은주 (총신대학교 유아교육과 교수)
강주용 (마산사교육걱정없는세상 대표)
김운삼 (강동대학교 유아교육과 교수)
김주환 (안동대학교 국어교육과 교수)
남호영 (전 인헌고등학교 수학교사)
민경찬 (연세대학교 수학과 특임교수)
박재원 (사람과교육연구소 연구소장)
송영준 (누원고등학교 수학교사)
윤태호 (서울 오디세이학교 교사)
이규봉 (배재대학교 전산수학과 교수)
임병욱 (가람중학교 과학교사)
조도연 (경기도교육청 교육정책국장)
한상근 (카이스트 수리과학과 교수)
황인각 (전남대학교 물리학과 교수)

펴낸 곳 ㈜창비교육 · 펴낸이 강일우 · 펴낸 날 2019년 12월 15일 초판 1쇄
편집 이혜선 이은영 정미란 · 일러스트 장명진 · 조판 (주)하이테크컴

주소 04004 서울특별시 마포구 월드컵로12길 7
구입 문의 전화 1833-7247 / 팩스 02-6949-0953
내용 문의 사교육걱정없는세상 수학사교육포럼 / 전화 02-797-4044

네이버에서 **대안 수학 교과서 《수학의 발견》** 카페를 검색해 보세요.

MEMO 

구입 문의 ㈜창비교육 / 전화 1833-7247 / 팩스 02-6949-0953
내용 문의 사교육걱정없는세상 수학사교육포럼 / 전화 02-797-4044

* 네이버에서 **대안 수학 교과서 《수학의 발견》** 카페를 검색해 보세요.

수학의 발견
생각이 터지는 수학 교과서